Einleitung

„Die Börse heißt in Frankreich „la bourse“ und auch in der deutschen Sprache ist sie weiblich. Sie ist und bleibt weiblich, unergründlich, unberechenbar, launisch, von Gefühlen und Neuigkeiten stark abhängig, aber auch ganz besonders faszinierend.”

Wir leben in schwierigen Zeiten für Sparer. Jahrzehntelang haben die Deutschen ihr Geld am liebsten in Lebensversicherungen, Sparbüchern und fest verzinsten Sparverträgen angelegt, obwohl man die ganze Zeit über an den Aktienmärkten wesentlich mehr aus seinem Geld machen konnte. Jetzt sieht es ganz so aus, als wenn diese Zeiten für lange Zeit vorbei sein könnten. Denn wer jetzt sein Geld noch auf dem Sparbuch oder auf dem Tagesgeldkonto liegen hat, verliert mit jedem Tag bares Geld. Die Zinsen liegen bei nahe Null, so dass man davon ausgehen kann, das Geld auf einem Sparkonto nach Abzug der Inflation mit jedem Tag weniger wert ist anstatt mehr. Wer heute noch ein Vermögen ansparen will, hat gar keine andere Wahl, als sich am Aktienmarkt zu betätigen.

Nur dort lassen sich im gegenwärtigen, für Anleger äußerst schwierigen Umfeld, überhaupt noch nennenswerte Gewinne erwirtschaften. Viele Menschen fürchten allerdings den Einstieg in den Aktienmarkt. Besonders Deutschland ist traditionell kein Aktienland und viele Menschen scheuen davor zurück, sich an der Börse zu betätigen – ganz im Gegensatz zu den USA und vielen europäischen Ländern. Natürlich ist der Börsenhandel nicht völlig frei von Risiken, das soll hier an dieser Stelle auf gar keinen Fall verschwiegen werden. Es ist richtig, es haben schon viele Leute Geld an der Börse verloren. Diese Fehler sind aber fast immer auf mangelndes Wissen und mangelnde Kenntnisse zurückzuführen. Wer sich als Anfänger blindlings ins Geschehen stürzt und Aktien auf den bloßen Rat von Bekannten oder Zeitungsartikeln kauft, ohne zu wissen, was er dort eigentlich macht, der hat natürlich ein hohes Risiko zu scheitern.

Wer sich aber im Vorfeld das nötige Fachwissen aneignet und dann risikobewusst und kompetent an der Börse agiert, der wird auch auf kurz oder lang erfolgreich sein. Aktien sind seit Jahrzehnten die lukrativste Anlageform mit der höchsten Jahresrendite und es sieht ganz so aus, als wenn sich daran auch im Zeichen der Finanzkrise sobald nichts ändern wird.

Nach der Lektüre dieses Buches werden Sie zwar nicht über Nacht zu einem zweiten Warren Buffett oder André Kostolany. Um so erfolgreich zu werden braucht es natürlich jahrelange Erfahrung und Übung. Der Erfolg stellt sich auch an der Börse nicht über Nacht ein, sondern ist immer ein Produkt von viel Beharrlichkeit, Ausdauer und dem Willen dazuzulernen. Was dieser Ratgeber Ihnen jedoch vermittelt, ist ein solides Grundwissen im Bereich des Börsenhandels. Sie erhalten das Rüstzeug, auf dem Sie Ihre künftige Karriere als Aktienanleger aufbauen können. Auch Sie können zu den Anlegern gehören, die erfolgreich an der Börse ihr Vermögen vermehren. Dieses Buch vermittelt Einstiegswissen und kann weiterführende Börsenliteratur nicht ersetzen. Wenn Sie dieses Buch durchgearbeitet haben und Ihre ersten Erfolge im Aktienhandel erzielt haben, sollten Sie unbedingt in Ihre weitere Ausbildung investieren und sich einige weitere gute Fachbücher zum Thema Aktienhandel besorgen und diese nach bestem Wissen und Gewissen durcharbeiten.

1. Aktien, Fonds oder ETFs?

„Es ist bei weitem besser, ein herausragendes Unternehmen zu einem anständigen Preis zu kaufen, als ein anständiges Unternehmen zu einem herausragenden Preis."
(Warren Buffett)

Schauen wir uns zunächst einmal an, welche Wertpapiere für Sie beim Aktienhandel überhaupt in Frage kommen. Wir können zunächst einmal grob zwischen Einzelaktien und zwischen Fonds unterscheiden. Eine Aktie ist ein Anteilsschein an einem einzelnen Unternehmen. Sie werden durch den Kauf quasi zum Miteigentümer. Wenn das Unternehmen Gewinne erwirtschaftet, kann es sein, dass eine Dividende, eine Gewinnausschüttung an die Aktionäre erfolgt. Sie können sich dann über eine Dividendenzahlung freuen. Ein anderer Weg, um von Aktien zu profitieren, sind Kurssteigerungen. Steigt eine Aktie, die Sie gekauft haben im Kurs, haben Sie die Möglichkeit, die Aktie zu einem späteren Zeitpunkt wieder mit Gewinn zu verkaufen. Allerdings kann der Aktienwert auch fallen, so dass ein gewisses Verlustrisiko nicht von der Hand zu weisen ist. Andererseits können Sie mit Aktien enorme Gewinne erwirtschaften, wenn Sie Aktien des richtigen Unternehmens zum richtigen Zeitpunkt kaufen. Wer Anfang der neunziger Jahre in Microsoft investiert hat, kann sich heute über gewaltige Kurssteigerungen freuen. Auch Unternehmen wie Google oder Apple haben ihren Aktienwert binnen eines Jahrzehnts vervielfacht.

Bei Aktienfonds sieht die Sache anders aus: Hier investieren Sie in Anteile an einer Fondsgesellschaft, die ihrerseits in eine Auswahl an verschiedenen Aktien investiert. Sie beteiligen sich also quasi an einem Korb mit Aktien verschiedener Unternehmen. Der Fonds wird von einem Fondsmanagement verwaltet, das versucht, mittels verschiedener Anlagestrategien für eine möglichst gute Wertentwicklung des Fonds zu sorgen, die im Idealfall deutlich über der Durchschnittsrendite am Aktienmarkt liegen sollte. Für diese aktive Verwaltung entstehen allerdings Verwaltungskosten, die den Gewinn schmälern. Fonds haben gegenüber der Investition in Einzelaktien den Vorteil, dass das Risiko eines Totalausfalls oder eines starken Wertverlustes deutlich geringer ist als beim Kauf von einzelnen Aktien. Wenn Sie die Fondsanteile wieder verkaufen wollen, werden die Anteile in der Regel direkt an die ausgebende Fondsgesellschaft zurückverkauft. Für den Kauf eines solchen Fondsanteils wird eine Gebühr erhoben, der sogenannte Ausgabeaufschlag, der bei vielen Fonds durchaus mehrere Prozent betragen kann.

Eine Besonderheit sind die sogenannten ETFs, Exchange Traded Funds. Hier handelt es sich ebenfalls um Fonds, die aber aktiv an der Börse gehandelt werden. Sie haben meist kein aktives Management sondern beschränken sich darauf, ein bestimmtes Marktsegment 1:1 nachzubilden, zum Beispiel den DAX, den M-DAX oder den Dow-Jones-Index. Weil ETFs nicht aktiv gemanagt werden, entfallen die Verwaltungsgebühren, die bei herkömmlichen Fonds erhoben werden.

1.1. **Fonds oder Aktien – Die richtige Auswahl**

Sind Aktien oder Aktienfonds die richtige Anlageform für Sie? Bestimmen Sie, welcher Anlagetyp besser für Sie geeignet ist.

1. In welcher Sparphase befinden Sie sich?

Je jünger Sie sind, desto mehr Zeit haben Sie für den Vermögensaufbau und desto leichter ist es, auch mit kleinen Beträgen über einen längeren Zeitraum ein beachtliches Ergebnis zu erzielen. Bei Arbeitnehmern fördert der Staat zudem das Ansparen von Vermögen für die Altersversorgung in Form der Vermögenswirksamen Leistungen (VL). Je jünger Sie sind, desto geringer ist meistens der monatliche Betrag, der für die Geldanlage zur Verfügung steht. Sind Sie hingegen schon etwas älter, dann ist der verbleibende Zeitraum bis zur Rente wesentlich kürzer, so dass höhere monatliche Anlagesummen und eine höhere Rendite nötig sind, um das gleiche Ergebnis zu erzielen wie mit der kleinen Geldanlage in jüngeren Jahren.

Generell kann man sagen, dass für junge Menschen mit geringerem Einkommen der Aktienfonds die bessere Wahl ist, da es hier schon möglich ist mit kleinen Beträgen ab 25 Euro/monatlich in Sparpläne zu investieren. Beim Kauf von Einzelaktien statt Fonds machen solche geringen Summen keinen Sinn. Wenn Sie einen größeren Einzelbetrag statt einer monatlichen Rate anlegen wollen, so können Sie ebenfalls schon ab 1.000 Euro in die meisten Aktienfonds investieren. Bei Einzelaktien würden solche geringen Summen wiederum keinen Sinn machen – schon wegen der Gebühren beim An- und Verkauf. Fonds haben zudem den Vorteil, dass das Risiko durch die breite Auswahl an verschiedenen Aktien bereits stark gestreut ist, so dass die Wahrscheinlichkeit eines Verlustes soweit wie möglich minimiert wurde. Mit einem kleinen Betrag von wenigen tausend Euro ist es unmöglich, ein Aktienportfolio in gleichem Maße zu diversifizieren, wie das bei einem Fonds bereits von Haus aus der Fall ist. Anleger in jungen Jahren haben dafür in der Regel weder ausreichend Kapital noch hinreichende Fachkenntnisse, so dass in der frühen Sparphase nach dem Berufseintritt in der Regel der Fonds die bessere Wahl ist.

Anders ist die Situation in einem fortgeschritteneren Alter. Bei Anlegern um die 40 Jahre steht meistens deutlich mehr Geld zur Verfügung. Sie können größere Summen investieren und können es sich leisten, ein größeres Risiko einzugehen. Mit einem Startkapital von 50.000 Euro und mehr macht es durchaus Sinn, in Aktien zu investieren. Mit einem Anlagebetrag dieser Größenordnung ist es schon möglich, eine gewisse Streuung zu realisieren und ein Aktiendepot aus mehreren verschiedenen Titeln aufzubauen. Zum Beispiel könnte ein Anlagebetrag von 50.000 Euro in ein Aktienportfolio von zehn verschiedenen Aktien aufgeteilt werden, wobei auf jede Einzelaktie ein Wert von 5.000 Euro entfallen würde. Damit lässt sich bereits eine gute Risikostreuung realisieren.

2. **Sind Sie passiver oder aktiver Investor?**

Zu welchem Investorentyp gehören Sie? Der passive Investor möchte sich so wenig wie möglich mit seiner Geldanlage befassen müssen. Für ihn sind Aktienfonds darum das Mittel der Wahl. Es wird ein fester monatlicher Betrag in den Fonds eingezahlt und der Anleger muss sich um alles weitere keine Gedanken machen, da das Fondsmanagement die Anlageentscheidungen trifft und die Aktien auswählt, die von den Fondsanteilen erworben werden.

Sind Sie ein aktiver Investor, so möchten Sie nach Möglichkeit alle wichtigen Entscheidungen selbst treffen und selbst auswählen, welche Aktien Sie zu welchem Preis kaufen oder verkaufen. Sie treffen alle Entscheidungen selbst und tragen somit auch das volle Risiko ihrer Anlageentscheidungen. Für den aktiven Investor ist die Anlage in Einzelaktien besser geeignet. Das Risiko ist größer, aber auch die Gewinnchance, sofern Sie mit Ihrer Anlagestrategie richtig liegen.

2. Die idealen Aktien für den Einstieg

„Ich kann Ihnen nicht sagen, wie man schnell reich wird; ich kann Ihnen aber sagen, wie man schnell arm wird: indem man nämlich versucht, schnell reich zu werden."
(André Kostolany)

Jeder hat mal klein angefangen und der Anfang ist bei allem immer das Schwerste: Wenn Sie am Aktienmarkt starten, kommt es für den Anfang vor allem darauf an, dass sie sich die richtigen Aktien aussuchen. Nicht alle Aktien sind für Anfänger gleichermaßen geeignet und es gibt bestimmte Aktien, von denen Sie als Anfänger auf jeden Fall noch die Finger lassen sollten.

Wählen Sie Ihre ersten Aktien vor allem nach den folgenden Gesichtspunkten aus:

- Hohe Handelsumsätze: Entscheiden Sie sich für Aktien, von denen an der Börse hohe Volumen gehandelt werden.
- Wählen Sie leicht handelbare Aktien, für die sich am Markt jederzeit Käufer finden lassen.
- Wählen Sie für den Anfang keinen zu langen Anlagehorizont.
- Achten Sie auf die Kennzahlen.
- Verfolgen Sie das aktuelle Weltgeschehen in den Nachrichten und halten Sie sich über die aktuellen Ereignisse auf dem Laufenden.

Je höher die Handelsumsätze einer Aktie sind, desto mehr Bewegung ist im Kurs. Wenn es große Ankaufs- und Verkaufsbewegungen gibt und große Summen Geld in die Aktie hinein- und wieder herausfließen, verursacht das entsprechende Kursschwankungen, die Sie zu Ihren Gunsten im Rahmen einer kurzfristigen Anlagestrategie nutzen können. Mit Aktien großer Unternehmen können Sie in diesem Zusammenhang nichts falsch machen. Werte wie Google, Microsoft, Volkswagen oder andere Big Player fallen in diese Kategorie. Gleichzeitig können Sie sicher sein, dass es sich bei diesen Aktien nicht um sogenannte „marktenge“ Titel handelt.

Aktien mit einem hohen Handelsvolumen sind gleichzeitig leicht handelbare Aktien, die man jederzeit auf dem Markt verkaufen kann, weil sich mit Sicherheit jederzeit Käufer dafür finden. Es gibt sogenannte marktenge Titel, bei denen das völlig anders aussieht. Diese Aktien werden nur von wenigen Marktteilnehmern gehandelt und es ist keineswegs sicher, dass es jederzeit möglich ist, für diese Papiere einen liquiden Käufer zu finden. Als Anfänger sollten Sie immer auf Nummer sicher gehen und sich stattdessen für Aktien mit einem hohen Handelsvolumen und einer guten Handelbarkeit entscheiden.

Es macht durchaus Sinn, wenn Sie sich bei der Auswahl Ihrer ersten Aktien an ähnliche Grundsätze halten wie der milliardenschwere Investor Warren Buffett: Kaufen Sie nur Aktien von Firmen, deren Geschäftsmodell krisenfest ist und deren Geschäft Sie verstehen. Investieren Sie nicht in Aktien von Firmen aus Branchen, von denen Sie absolut nichts verstehen. Kaufen Sie (noch) keine Aktien von Firmen aus exotischen Ländern, von denen Sie kein Hintergrundwissen über die lokalen Gegebenheiten haben. Für den Anfang sollten Sie sich an Aktien von Big Playern aus Nordamerika oder Europa halten. Eine gute Wahl sind Aktien aus dem Konsumgüterbereich.

3. Investieren in Aktien – Vor- und Nachteile

„Das Geheimnis des Börsengeschäfts liegt darin, zu erkennen, was der Durchschnittsbürger glaubt, dass der Durchschnittsbürger tut."
(John Maynard Keynes)

Jedes Investment hat seine ganz spezifischen Vor- und Nachteile. Bevor Sie Ihr Geld an der Börse anlegen und in Aktien investieren, sollten Sie sich genau über die Vor- und Nachteile dieser Anlage im Klaren sein. Die Geldanlage in Aktien bietet viele Vorteile und die Chance auf einen deutlich erhöhten Betrag gegenüber anderen Anlageformen, ganz besonders im derzeitigen Umfeld mit extrem niedrigen Zinsen auf Bankanlagen aller Art.

Andererseits haben Aktien auch ihre Nachteile, die an dieser Stelle nicht verschwiegen werden sollen.

Wir werden hier die Vor- und die Nachteile einander gegenüberstellen und Sie können dann selbst entscheiden, ob die Anlage in Aktien das Richtige für Sie ist. Die Entscheidung, ob Aktien die richtige Anlage für Sie sind, kann Ihnen letztlich niemand abnehmen. Hören Sie dabei auch auf Ihr Bauchgefühl. Wenn Sie sich mit Aktien als Geldanlage einfach nicht wohl fühlen, dann ist es besser, wenn Sie sich nach einer anderen Anlageform umsehen.

3.1. Die Vorteile eines Investments in Aktien

Es gibt eine fast unendliche Auswahl an deutschen europäischen und weltweiten Aktien. Sie können sich Ihr ganz persönliches Aktienportfolio zusammenstellen und dieses jederzeit an ihre Bedürfnisse anpassen. Sie können mit Aktien gleich auf zweierlei Weisen Gewinn erwirtschaften: Sie können Dividendengewinne erzielen oder von Kursgewinnen profitieren. Oder im Idealfall von beidem zusammen.

Aktien sind deutlich ertragreicher als die meisten anderen Anlagen. Jahresrenditen von 12% sind ohne Weiteres möglich, auch wenn es selbstverständlich auch mal Jahre mit geringeren Renditen gibt. Dennoch kann man guten Gewissens sagen, dass Aktien zu den ertragreichsten Anlageformen gehören.

Der Aktienmarkt ist hochliquide. Sie können Aktien innerhalb von wenigen Minuten jederzeit wieder zu Geld machen. Im Gegensatz zu Immobilienanlagen haben Sie bei Aktien nach einem Verkauf das Geld binnen Minuten auf Ihrem Konto. Wenn Sie eine Immobilie verkaufen, kann es ohne Weiteres vier bis acht Wochen dauern, bis der Kaufpreis auf Ihrem Konto eintrifft. Und Sie können davon ausgehen, für Ihre Aktien jederzeit einen Käufer zu finden. (Von wenigen Ausnahmefällen extrem marktenger Aktien einmal abgesehen.)

3.2. Die Nachteile des Aktieninvestments

Alles im Leben hat außer Vorteilen auch Nachteile. Diese Binsenweisheit gilt auch für Aktieninvestments. Schauen wir uns die Nachteile eines Aktieninvestments genauer an.

Wie wir schon festgestellt haben, ist der Aktienmarkt ein hochliquider Markt, in dem viel Geld hin- und herfließt. Das hat zur Folge, dass es bei Aktien relativ starke Kursschwankungen gibt. Diese Kursschwankungen können sich unter günstigen Bedingungen zwar auch zu Ihren Gunsten auswirken, sie können aber auch binnen kurzer Zeit zu großen Verlusten führen. Die starken Preisschwankungen (Volatilität) am Aktienmarkt erschweren es den Anlegern, den richtigen Ein- und Ausstiegszeitpunkt zu finden.

Sie müssen bei Aktienanlagen immer über das aktuelle Marktgeschehen informiert bleiben, wenn Sie nicht einen extrem langen Anlagehorizont gewählt haben. In diesem Fall können Sie kurzfristige Kursschwankungen natürlich außer Acht lassen. Ansonsten gilt, dass Sie sich mit Ihrem Portfolio regelmäßig befassen müssen, um erfolglose Aktien gegen erfolgreichere auszutauschen, und Ihre Gewinne von Zeit zu Zeit zu realisieren. Im Gegensatz zu einer reinen Fondsanlage ist ein Aktiendepot eben nicht „wartungsfrei". Während sich bei einer Fondsanlage das Fondsmanagement um die Pflege des Depots kümmert, müssen Sie diese Leistung bei einer reinen Aktienanlage selbst erbringen

3.2.1. An der Börse kann man auch verlieren

Lassen Sie sich nicht von Schlaumeiern weismachen, dass man an der „Börse nur gewinnen" kann. Das entspricht leider nicht der Wahrheit. Sie können an der Börse auch Verluste machen, und zwar in beträchtlicher Höhe. Wenn Sie als blutiger Anfänger versuchen, ohne Hintergrundwissen und Erfahrung und ohne eine Anlagestrategie an der Börse Geld zu verdienen, so wird das wahrscheinlich dazu führen, dass Sie Ihren Einsatz schon nach kurzer Zeit verzockt haben.

Wenn Sie allerdings erst einmal gelernt haben, wie man Marktbewegungen interpretiert, welche Nachrichten wirklich wichtig sind, werden Ihnen solche Fehler nicht mehr unterlaufen.

Sie müssen sich jederzeit der Risiken und Gefahren bewusst sein, die die Börse nun einmal bereithält. Machen Sie es wie die Superreichen (z. B. Warren Buffett): Wenn Sie die Aktie eines Unternehmens kaufen, dann betrachten Sie diese Aktie nicht nur als bloße Handelsware, sondern als Beteiligung an dem Unternehmen. Stellen Sie sich die Frage: Haben Sie Vertrauen zu dem Geschäftskonzept des Unternehmens? Verstehen Sie, was das Unternehmen macht und womit es sein Geld verdient? Nur wenn Sie diese Fragen positiv beantworten können, sollten Sie die Aktien eines Unternehmens kaufen.

Unterm Strich überwiegen die Vorteile eines Aktieninvestments bei weitem die Nachteile. Das gilt ganz besonders in der gegenwärtigen besonderen Situation, wo praktisch alle Staaten überschuldet sind, das

Zinsniveau weltweit gegen Null tendiert und es kaum noch möglich ist, außerhalb der Aktienmärkte noch Anlageformen zu finden, mit denen Sie wenigstens die Inflation ausgleichen können. Praktisch alle festverzinslichen Bankanlagen, die derzeit auf dem Markt verfügbar sind, produzieren nach Abzug der Inflationsrate Verluste. Wer heute noch sein Geld auf dem Tagesgeldkonto parkt, vermeidet zwar die Risiken des Aktienmarktes, macht aber trotzdem jedes Jahr Verlust, weil der aktuelle Zinssatz nicht einmal ausreicht, um die Inflation auszugleichen.

4. Fundamentalwerte

„Wenn jemand gute Aktien hat, wäre er verrückt, wenn er nur wegen eines Kursrückschlags verkaufen würde. Ich suche Unternehmen, die ich verstehe und von deren Zukunftsaussichten ich überzeugt bin." (Warren Buffett)

Es gibt grundsätzlich zwei verschiedene Ansätze, um eine Aktie zu analysieren und ihre Erfolgsaussichten zu beurteilen. Zum einen die Technische Analyse und zum anderen Die Fundamentalanalyse, mit der wir uns jetzt befassen werden, Als guter Investor sollten Sie beide Arten beherrschen.

Bei der Fundamentalanalyse geht es um das große Ganze, um handfeste ökonomische Fakten. Die Wirtschaft, die Politik, ganze Wirtschaftszweige und einzelne Unternehmen werden beobachtet und betrachtet. Ziel ist es natürlich, Prognosen über künftige Kursentwicklungen aufzustellen.

Beim Beurteilen von Unternehmen achtet man besonders auf die wirtschaftlichen Rahmendaten: Das Wachstum der Unternehmen in der Vergangenheit, die Erfolgsaussichten in der Zukunft usw. Ziel ist es, einen fairen Wert für die gehandelten Aktien zu ermitteln. Aktien sind oft über- oder unterbewertet, d. h. die Aktie ist entweder in Relation zum tatsächlichen Unternehmenswert zu teuer – man spricht dann von einer überbewerteten Aktie. Oder eine Aktie ist im Vergleich zum tatsächlichen Unternehmenswert zu billig, in dem Fall sprechen wir von einer unterbewerteten Aktie.

Eine unterbewertete Aktie eröffnet natürlich Chancen auf eine Wertsteigerung, während bei einer überbewerteten Aktie die Gefahr besteht, dass der Aktienwert früher oder später wieder auf den eigentlichen Unternehmenswert zurückgestutzt wird und der Kurs fällt.

Es sind noch viele weitere Faktoren, die man bei der fundamentalen Analyse im Blick behalten muss. Im Grunde genommen spielt die gesamte weltwirtschaftliche Entwicklung in dieses Feld mit hinein. Politische Entscheidungen spielen ebenso eine Rolle wie wirtschaftliche Entwicklungen im großen Rahmen, so dass die fundamentale Analyse ein hochkomplexes Feld ist.

4.1. Die Fundamentalanalyse in der Praxis

Sehen wir uns jetzt die Fundamentalanalyse in der Praxis an. Wir fangen erst einmal klein an:

- Suchen Sie sich ein Unternehmen aus, in das Sie eventuell investieren wollen.
- Betrachten Sie den Industriesektor des Unternehmens. Ist es der Marktführer oder gibt es andere Unternehmen in der gleichen Branche, die besser aufgestellt sind und langfristig womöglich erfolgreicher sein werden.
- Analysieren Sie die Weltwirtschaft und den Heimatmarkt des Unternehmens.
- Werten Sie die Unternehmensnachrichten aus. Wie sind die aktuellen Quartalszahlen, gibt es interessante neue Produktentwicklungen, wurde das Unternehmen womöglich gerade umstrukturiert oder gibt es sonst irgendwelche Anzeichen, die auf eine Gewinnsteigerung in naher Zukunft hindeuten?

Bei der Analyse der Unternehmensnachrichten sollten Sie auf möglichst viele Quellen zurückgreifen. Google-News. Wirtschaftsnachrichten, Zeitungen, Verlautbarungen des Unternehmens selbst – versuchen Sie sich ein möglichst umfassendes Bild zu verschaffen.

Je mehr Sie über ein Unternehmen im Vorfeld in Erfahrung bringen können, desto besser. Oft sind es gerade die kleinen Details, die die wirklich interessanten Informationen enthalten. Manchmal gibt es auch ausgesprochen wenige Nachrichten über ein Unternehmen. Das muss nicht unbedingt schlecht sein. Keine Nachrichten sind gute Nachrichten – zumindest gibt in so einem Fall nichts Negatives zu berichten.

4.2. Was passiert, wenn Sich herausstellt, dass das Unternehmen nicht das beste der Branche ist?

Was geschieht jetzt, wenn Sie zu dem Schluss kommen, dass das Unternehmen über- oder unterbewertet ist? Oder wenn es zahlreiche Meldungen mit einem negativen Ausblick auf die Zukunft gibt?

Nun, ein einzelnes negatives Merkmal muss noch nicht grundsätzlich gegen die Investition in eine bestimmte Aktie sprechen. Es kann sein, dass das Unternehmen vielleicht das eine oder andere Problem hat, diese negativen Merkmale aber durch einen besonders günstigen Aktienkurs wieder aufgehoben werden. Vielleicht geht es auch dem Industriezweig als Ganzem nicht besonders gut, aber das Unternehmen, das Sie ausgesucht haben, schafft es erfolgreich, sich dem negativen Trend zu widersetzen.

Bedenken Sie, dass Sie Meldungen in Wirtschaftsmagazinen und Aktienzeitschriften nicht immer blindlings trauen können. Die Berichterstattung ist nicht immer 100 Prozent objektiv und nur weil eine Aktie in der Presse oder auf einer Webseite hochgejubelt wird, muss das noch lange nicht bedeuten, dass diese Aktie wirklich der große Geheimtipp ist, als der sie dargestellt wird. Also seien Sie vorsichtig, auch bei dem Rat von sogenannten „Aktiengurus“. Wenn eine Aktie besonders häufig in der Berichterstattung auftaucht, sei es nun positiv oder negativ, sollten Sie das zunächst einmal als Anhaltspunkt nehmen, dass sich hier etwas Interessantes tut, nicht mehr und nicht weniger.

Manchmal kann es auch besser sein, einen ganzen Industriesektor erst einmal völlig zu meiden. Denken Sie an den Markt der Technologieunternehmen um die Jahrtausendwende, als es dort zu völlig grotesk überbewerteten Aktien gekommen ist. Wer in dieser Phase eingestiegen ist, musste hohe Verluste verkraften. Wer ein paar Monate gewartet hat, konnte nach der Kurskorrektur billigst einsteigen.

Wenn Sie sich nicht ganz sicher sind, ist es meist besser abzuwarten. Geduld ist am Aktienmarkt der Schlüssel zum Erfolg. Sie brauchen ein gewisses Maß an Geduld, sowohl um den richtigen Moment zum Einstieg als auch zum Ausstieg aus einem Investment zu finden.

4.3. Sechs wichtige Kennzahlen, um eine Aktie fundamental zu beurteilen

Es sind nur sechs Kennzahlen, aus denen Sie alles ablesen können, was Sie wissen müssen, um ein aussichtsreiches Unternehmen von einem Pleitekandidaten zu unterscheiden. Machen Sie sich mit den folgenden Kennzahlen vertraut und lernen Sie, sie richtig einzusetzen. Dann können Sie anhand dieser Zahlen, die für jedes börsennotierte Unternehmen frei verfügbar sind, eine gute Aussage über den Wert des Unternehmens treffen.

4.3.1. Das Kurs-Gewinn-Verhältnis (KGV)

Eine der wichtigsten Unternehmenskennzahlen am Aktienmarkt ist das sogenannte Kurs-Gewinn-Verhältnis, auch als „KGV“ abgekürzt. Das Kurs-Gewinn-Verhältnis besagt, wie oft der Gewinn im aktuellen Kurs einer Aktie enthalten ist bzw. nach wie vielen Jahren der Gewinn den Preis der Aktie „bezahlt“ hat.

Das KGV bezeichnet das Verhältnis zwischen Aktienpreis und Unternehmensgewinn pro Aktie. Am KGV können Sie erkennen, ob ein Unternehmen an der Börse über- oder unterbewertet ist. Je niedriger das KGV, desto besser, je höher das KGV, desto größer ist die Wahrscheinlichkeit, dass eine Aktie bereits überbewertet ist.

4.3.2. Gewinnwachstum

Versuchen Sie, Unternehmen ausfindig zu machen, die mehrere Jahre hintereinander dazu in der Lage waren, ihren Gewinn zu steigern.

Wenn ein Unternehmen seine Gewinne steigern kann, ist das ein Zeichen für eine effiziente Unternehmensführung.

4.3.3. Eigenkapitalquote

Die Eigenkapitalquote bietet einige sehr wichtige Informationen. Sie zeigt an, wie hoch der Anteil des Eigenkapitals an einem Unternehmen ist und damit auch, wie hoch der Anteil des Fremdkapitals ist. Fremdkapital ist Geld, das sich das Unternehmen von Banken oder Investoren geborgt hat, um seine eigenen Mittel aufzustocken. Natürlich ist ein Unternehmen umso stabiler und krisensicherer, je weniger es von Fremdkapital abhängig ist und je höher der Eigenkapitalanteil ist. Fremdkapital muss verzinst werden und gerade wenn ein Unternehmen stark von Bankkrediten abhängig ist, bedeutet das in Krisenzeiten immer ein Risiko. Es ist schon oft vorgekommen, dass eigentlich aussichtsreiche Unternehmen plötzlich aufgeben mussten, weil die Geldgeber kein Kapital mehr zur Verfügung gestellt haben. Achten Sie also bei Unternehmen auf einen möglichst hohen Eigenkapitalanteil.

4.3.4. EBIT-Marge

Die EBIT-Marge gibt den Gewinn des Unternehmens vor Steuern und Zinsen wieder. Es versteht sich von selbst, dass die EBIT-Marge möglichst hoch sein sollte.

4.3.5. Eigenkapitalrendite

Die Eigenkapitalrendite zeigt an, in welcher Höhe ein Unternehmen sein Eigenkapital verzinst, also welche Rendite auf die Eigenmittel des Unternehmens ohne das Fremdkapital erwirtschaftet wird. Die Eigenkapitalrendite ist eine entscheidende Kennzahl um die Profitabilität eines Unternehmens zu bewerten. Sie sollte natürlich möglichst hoch sein.

4.3.6. Dividendenrendite

Die Dividende ist ein keineswegs unwichtiger Faktor bei der Beurteilung einer Aktie, gerade in Zeiten, wo der Markt sich eher seitwärts bewegt und spektakuläre Kurssteigerungen die Ausnahme sind, können Unternehmen mit einer guten Dividendenrendite dafür sorgen, dass eine Anlagestrategie trotzdem Erfolg hat. Denn neben Kurssteigerungen sind Dividendenausschüttungen die zweite entscheidende Einnahmequelle beim Aktienhandel. Dividenden sind nichts anderes als Gewinnausschüttungen der Unternehmen an die Aktionäre. Leistet ein Unternehmen großzügige Dividendenzahlungen ist das fast immer ein zuverlässiger Hinweis auf einen guten Geschäftsverlauf. Es gibt sogar Fonds und ETFs, die ganz gezielt ausschließlich auf Unternehmen mit einer möglichst hohen Dividendenausschüttung konzentrieren und die Kursentwicklung dabei eher zweitrangig behandeln.

5. Technische Analyse

„Man sollte nur in Firmen investieren, die auch ein absoluter Vollidiot leiten kann, denn eines Tages wird genau das passieren!" (Warren Buffet)

Einen gänzlich anderen Ansatz als die Fundamentalanalyse verfolgt die Technische Analyse. Während es bei der Fundamentalanalyse um harte Fakten und konkrete Informationen über wirtschaftliche Zusammenhänge geht, verfolgt die technische Analyse einen völlig anderen Ansatz. Bei der technischen Analyse werden die Kursbewegungen einer Aktie analysiert und es wird versucht, aus dem bisherigen Kursverlauf eine Prognose für die Zukunft abzuleiten. Dabei sind fundamentale Fakten erst einmal völlig zweitrangig. Für eine Technische Analyse ist es völlig zweitrangig, was das Unternehmen produziert, ob es über- oder unterbewertet ist, oder ob die wirtschaftlichen Rahmenbedingungen für das Unternehmen günstig oder ungünstig sind.

Bei der technischen Analyse interessieren uns ausschließlich die bisherigen Kursverläufe in Form von sogenannten Charts. Das sind graphische Darstellungen des bisherigen Kursverlaufs. Es gibt verschiedene Wege, einen Kursverlauf abzubilden. Am bekanntesten und für den Anfänger auch am einfachsten verständlich ist sicher die einfache Liniengrafik. Dabei wird der Kurs einer Aktie in Form einer Zickzacklinie dargestellt, die den Kursverlauf wiedergibt. Schon diese einfachste Variante der Chartgrafik liefert uns einen guten Überblick über den Kursverlauf ist für eine einfache technische Analyse gesegnet.

Es gibt noch eine Fülle weiterer Darstellungsmöglichkeiten, mit denen sich zusätzliche Informationen ablesen lassen.

5.1. Die Theorie hinter der technischen Analyse

Die technische Analyse wurde maßgebend von Charles Dow geprägt, nachdem auch der Dow-Jones-Index in den USA benannt worden ist. Charles Dow hat drei Theoreme aufgestellt, die die technische Analyse begründen und bis heute prägen. Charles Dow war der Ansicht, dass Kursschwankungen alles andere als zufällig erfolgen und dass jede Kursschwankung einen Hintergrund hat. Und auf diese Hintergründe kommt es an, wenn man die Kursschwankungen einer Aktie beurteilen will. Dow war der Auffassung, dass sich letztlich alle den Marktteilnehmern zur Verfügung stehenden Informationen in den technischen Charts niederschlagen und ausdrücken würden. Der Kursverlauf einer Aktie spiegelt damit die Meinung der Gesamtheit aller Marktteilnehmer wider.

Dow war auch der Ansicht, dass Kurse einem Trend folgen. Es gibt Aufwärtstrends, während derer der Kurs eine Aktie steigt. Es gibt Abwärtstrends, während derer der Kurs einer Aktie fällt. Schließlich und endlich gibt es Seitwärtsbewegungen, während derer der Kurs einer Aktie nur geringfügig steigt oder fällt und sich innerhalb einer engen Bandbreite bewegt, ohne dass es zu größeren Kursbewegungen kommt.

Der entscheidende Punkt: Der bisherige Kursverlauf einer Aktie ermöglicht eine Prognose für die zukünftige Kursentwicklung. So geht man z. B. davon aus, dass ein intakter Trend dazu neigt, sich fortzusetzen. Befindet sich eine Aktie in einem stabilen Aufwärtstrend und kommt es zu keinen größeren Kursrückgängen, so kann man nach der technischen Analyse davon ausgehen, dass die Aufwärtsbewegung des Kurses auch weiterhin anhalten wird. Genauso sieht es umgekehrt mit fallenden Kursen, also dem Abwärtstrend, aus. Gelingt es uns, eine Aktie mit einem stabilen Aufwärts- oder Abwärtstrend ausfindig zu machen, so können wir mit hoher Wahrscheinlichkeit davon ausgehen, dass dieser Trend sich weiter fortsetzen wird.

5.2. Technische Indikatoren

Die große Herausforderung ist es, vorher zu sagen, wann ein Trend wechselt und der Kurs einer Aktie statt zu steigen, zu fallen beginnt bzw. umgekehrt. Um dies zu erreichen, bedient man sich verschiedener Hilfsmittel, sogenannter Technischer Indikatoren. Technische Indikatoren sind Hinweise im Chartmuster, aus denen man erkennen kann, ob ein Trend stabil ist und weiter anhält oder ob ein Trendwechsel erfolgt ist bzw. kurz bevorsteht.

De beiden wichtigsten Indikatoren sind die Unterstützung und der Widerstand. Wichtig für den langfristigen Trend sind der MACD, der Indikator für das Zusammen- bzw. Auseinanderlaufen des gleitenden statistischen Durchschnitts.

Um die technischen Indikatoren richtig anwenden zu können, sehen wir uns zunächst einmal den Kursverlauf der letzten fünf Jahre an. Daran können wir bereits erkennen, ob es einen langfristigen übergeordneten Trend bei der Kursentwicklung der Aktie gibt. Gibt es einen generellen Aufwärtstrend? Oder fällt der Kurs eher? Nicht selten ist auch eine langfristige Seitwärtsbewegung anzutreffen. Was sagen die fundamentalen Unternehmensdaten? Gibt es fundamentale Gründe, aus denen man von einem baldigen Trendwechsel oder von einer Fortsetzung des bestehenden Trends ausgehen kann? Kurzfristig sind es jedoch nicht die fundamentalen Daten eines Unternehmens, die die Kursentwicklung bestimmen, sondern das, was die Masse der Investoren glauben. Langfristig gewinnen dagegen immer die fundamentalen Daten die Oberhand und der Kurs wird sich entsprechend stabilisieren.

5.2.1. Unterstützung und Widerstand

Bei Unterstützung und Widerstand handelt es sich um Kursbegrenzungen nach unten (Unterstützung) bzw. oben (Widerstand). Es handelt sich hier um Höchst- oder Mindestkurse, die der Markt über einen längeren Zeitraum im Normalfall nicht über- oder unterschreitet. Ein schönes Beispiel ist die Aktie des Internetkonzerns Google, die bereits seit Langem in einer Bandbreite von 685$ und 715$ hin und her pendelt. Mal fällt die Aktie bis nahe des unteren Wertes, dann steigt sie wieder bis in die Nähe des Maximalwertes, aber sie verlässt den Kurskorridor zwischen diesen beiden Werten seit Längerem nicht. 685$ sind in diesem Fall die Unterstützung, unter die der Kurs normalerweise nicht fällt, 715$ ist der Höchstkurs, den Google normalerweise nicht überschreitet. Natürlich muss das keineswegs für immer so bleiben. Nehmen wir an, Google entwickelt plötzlich ein bahnbrechendes, neues Produkt, das für Schlagzeilen sorgt, dann könnte es durchaus passieren, dass der Widerstand bei 715$ durchbrochen wird und die Aktie zu einem längeren Höhenflug ansetzt. Und genauso könnte auch ein Kurssturz einsetzen, wenn es fundamentale Daten gibt, die dies rechtfertigen – oder die Masse der Anleger aus irgendeinem Grund plötzlich die Aktie verkaufen will.

Übrigens: Mittlerweile hat der Kurs der Google-Aktie einen kräftigen Anstieg hingelegt und notiert jetzt um die 840$... Ein schönes Beispiel für die Aktie eines krisenfesten und zukunftsträchtigen Unternehmens, die wahrscheinlich auch in Zukunft weiter steigen wird.

Wie entsteht nun aber eine Unterstützungslinie oder ein Widerstand? Oft gibt es scheinbar gar keinen rationalen Grund, warum sich ein Widerstand oder eine Unterstützung eben an der Stelle befindet, wo sie sich befindet. Eine Ursache für einen Widerstand kann zum Beispiel sein, dass große institutionelle Anleger wie Fondsgesellschaften ab einem bestimmten Kurs automatisch beginnen, große Verkäufe zu tätigen, um Gewinne mitzunehmen. Die plötzlichen Verkäufe lösen dann in der Folge einen Kursrückgang aus und der Aktienkurs fällt wieder deutlich unter den vorherigen Widerstand.

5.2.2. Der Ausbruch

Wenn ein Aktienkurs einen Widerstand oder eine Unterstützung durchbricht und dies offenbar ein dauerhafter Zustand sein wird und der Kurs in absehbarer Zeit nicht wieder zu der bisherigen Unterstützung oder dem Widerstand zurückkehren wird, haben wir es mit einem Ausbruch zu tun. Wenn es Ihnen gelingt, einen Ausbruch vorherzusagen, bieten sich natürlich große Gewinnmöglichkeiten, da ein Ausbruch immer mit starken Kursveränderungen einhergeht. Um Ausbrüche vorhersagen zu können, gibt es eine Vielzahl weiterer charttechnischer Werkzeuge, die alle dazu dienen, so ein Ereignis richtig zu prognostizieren.

Kopf-Schulterformationen, Elliotwellen, Doppelhochs – es gibt eine Vielzahl von Chartmustern, die angeblich einen bevorstehenden Ausbruch vorhersagen können. Selbstverständlich gibt es längst eine Vielzahl von Computerprogrammen, mit deren Hilfe Sie den Kurs auf alle möglichen Indikatoren hin abklopfen können, um einen Ausbruch frühzeitig zu erkennen. Es gibt sogar Programme, die Ihnen vollautomatisiert Kauf- und Verkaufsempfehlungen auf der Basis aktueller Chartanalysen geben können. Bedenken Sie dabei aber, das kein Computerprogramm perfekt ist und die Ergebnisse, die so ein Programm liefern kann, immer nur so gut sind, wie die Kenntnisse der Leute, die es programmiert haben. Erwarten Sie also von Tradingprogrammen keine Wunder. Trotzdem können diese eine wertvolle Hilfe sein, da ein Computerprogramm natürlich wesentlich schneller verschiedene Aktienkurse analysieren und auf Auffälligkeiten untersuchen kann, als Sie das manuell tun können.

Für den Anfang ist es aber besser, wenn Sie erst einmal auf den Einsatz von solchen Hilfsmitteln verzichten und lernen, einen Chart von Hand, gewissermaßen mit Papier und Bleistift zu analysieren. Sie lernen dabei eine Menge und trainieren Ihre Fähigkeiten als Investor, so dass Sie auf keinen Fall darauf verzichten sollten, sich zunächst solide Kenntnisse über Charttechnik anzueignen, bevor Sie selbst damit anfangen, Computerprogramme zur Chartanalyse zu nutzen.

Wenn Sie noch nie im Leben eine Chartgrafik gesehen haben, sollten Sie sich auf jeden Fall erst einmal Grundkenntnisse der technischen Analyse aneignen, bevor Sie mit dem Investieren beginnen.

6. Psychologie

„Jeder Anleger kann mit Aktien reich werden, wenn er seine Hausaufgaben macht!" (Peter Lynch)

Es mag überraschen, aber ein entscheidender Faktor für Erfolg oder Misserfolg an der Börse ist die Kenntnis Ihrer eigenen Psyche. Man kann ohne Übertreibung sagen: Nur wenn Sie sich selbst kennen, wenn Sie sich voll und ganz über die eigenen Stärken und Schwächen im Klaren sind, können Sie erfolgreich an der Börse agieren.

Wenn wir den Experten Glauben schenken, müssen wir an der Börse eigentlich völlig emotionslos agieren und ausschließlich unserem Verstand und unserer hoffentlich wohlbegründeten Anlagestrategie folgen. Leider ist ein solches Verhalten nur für wenige Menschen möglich. Die meisten von uns werden von Emotionen beeinflusst. Die stärksten Emotionen an der Börse – und die, die unterm Strich für die meisten Fehlentscheidungen verantwortlich gemacht werden können, sind Angst und Gier. Die meisten Börsenteilnehmer sind diesen Emotionen mehr oder weniger stark ausgesetzt. Es ist von entscheidender Bedeutung, dass Sie lernen, Ihre Emotionen zu kontrollieren und in den Griff zu bekommen, wenn Sie an der Börse erfolgreich agieren wollen. Um Ihre Emotionen kontrollieren zu können, müssen Sie zunächst sich selbst erkennen und herausfinden, wer Sie wirklich sind.

Die wichtigste Frage dabei ist:

6.1. Wie ist Ihr Verhältnis zum Risiko?

Aktienanleger können eine sehr unterschiedliche Haltung zu Risiken haben. Manche Anleger nehmen bewusst große Risiken in Kauf, wenn es damit möglich ist, hohe Gewinne zu erzielen. Andere sind ausgesprochen risikoscheu und verzichten auch schon einmal auf hohe Gewinne, um gleichzeitig hohe Verlustrisiken zu vermeiden. Über eines müssen Sie sich bei Geldanlagen immer im Klaren sein: Je höher der potentielle Gewinn, desto spekulativer und damit verlustgefährdeter ist eine Geldanlage. Der Gewinn steigt immer proportional zum Risiko einer Anlage. Eine Anlage, die völlig risikolos 12 oder 15 Prozent Rendite bringt, ist illusorisch, ganz besonders unter den heutigen Marktbedingungen.

Sie müssen sich als erstes ganz offen die Frage stellen: Wie ist Ihr Verhältnis zum Risiko? Macht es Sie nervös, wenn Sie sehen, dass der Kurs Ihrer Aktie fällt? Neigen Sie dazu, sich jeden Tag zu vergewissern, ob der Kurs auch nicht gefallen ist? Machen Sie negative Meldungen in den Wirtschaftsnachrichten unruhig, weil Sie befürchten, dass dies negative Auswirkungen auf Ihr Aktienportfolio haben kann?

Und wie reagieren Sie, wenn der Kurs einer Aktie in Ihrem Portfolio tatsächlich fällt? Verkaufen Sie dann panisch oder warten Sie ab, in der Hoffnung dass sich der Kurs wieder erholt?

Manche Menschen sind auch Spielernaturen, denen es überhaupt nichts ausmacht, hohe Risiken einzugehen und waghalsige Spekulationen durchzuführen. Sie setzen ungerührt hohe Beträge auf spekulative Aktien und sind sofort bereit für das nächste riskante Investment, nachdem sie einen Verlust eingefahren. Es ist sicher überflüssig zu sagen, dass Menschen dieses Typs manchmal riesige Gewinne einfahren, mindestens ebenso oft aber auch ihr Gesamtes Vermögen an der Börse verlieren. Manche spekulieren zu dem mit geliehenem Geld, was dazu führen kann, dass nach einer Fehlspekulation noch Schulden zurückbleiben.

6.2. Stellen Sie sich folgende Fragen

- Gibt es einen Industriezweig, in dem Sie sich bereits besonders gut auskennen? Sei es beruflich bedingt oder sei es, weil Sie sich aus anderen Gründen schon damit beschäftigt haben. Kennen Sie sich aus in der Chemieindustrie? Der Elektronikbranche? Oder in der Automobilindustrie? Je mehr Hintergrundwissen Sie in einer Branche haben, desto leichter fällt es Ihnen, die entsprechenden Aktien zu beurteilen und realistisch einzuschätzen.

- Wie viel Zeit können und wollen Sie täglich in Ihre finanzielle Bildung investieren? Was wollen Sie lesen?
- Wie gut haben Sie Ihre Emotionen im Griff? Regen Verluste Sie auf? Versetzen Sie Gewinne womöglich in eine euphorische Hochstimmung und lassen Sie unvorsichtig werden? Es ist von entscheidender Bedeutung, dass Ihnen die Bedeutung Ihrer Gefühle klar wird und Sie Ihre Emotionen so gut wie möglich unter Kontrolle halten können.

Werden Sie sich vor allem über Ihr Verhältnis zum Risiko im Klaren. Wenn Sie sehr sicherheitsorientiert sind, können Sie möglicherweise mit einer Investition in klassische Aktienfonds oder in ETFs besser schlafen als mit einer Anlage in Einzelaktien. Neigen Sie zu spekulativen Handlungen und sind Sie eine impulsgesteuerte Spielernatur, sollten Sie Ihr Engagement an der Börse generell noch einmal überdenken. Wie immer im Leben geht es darum, einen gesunden Mittelweg zu finden. General lässt sich sagen, dass Sie im Börsenhandel umso erfolgreicher sein werden, je weniger Sie sich von Emotionen wie Angst, Euphorie und Gier leiten lassen. Am besten fahren Sie mit rein vernunftbasierten Entscheidungen, bei denen jegliche Gefühle außen vor bleiben.

6.3. Und noch einige Tipps

- Führen Sie ein Tradingtagebuch. Egal ob auf dem Papier oder im Computer, schreiben Sie jedes Börsengeschäft auf und notieren Sie den Gewinn und den Verlust. Schreiben Sie auch nieder, warum Sie die betreffende Aktie gekauft oder verkauft haben. Dieses Börsentagebuch, indem Sie alle Ihre Geschäfte festhalten, wird Ihnen später eine große Hilfe sein, denn Sie können damit Ihre Entscheidungen rückwirkend hinterfragen und können so aus Ihren Fehlern wachsen und ein Maximum an Erkenntnis aus den Unterlagen ziehen. Dieses Tagebuch schützt Sie auch davor, sich selbst etwas vorzumachen und Entscheidungen im Nachhinein zu relativieren oder schön zu reden. Es ist Ihr unbestechliches Logbuch, das Ihnen dabei hilft, den rechten Kurs zu halten und ständig den Überblick über alles zu behalten.

- Schalten Sie nach jeder erfolgreichen Transaktion Ihren Computer ab und beschäftigen sich erst einmal mit etwas anderem. Sie vermeiden so im Rausch einer vermeintlichen Erfolgssträhne weitere, womöglich riskante Geschäfte einzugehen, die Sie in ihrem derzeitigen Gemütszustand womöglich zu positiv beurteilen. Das gleiche gilt, wenn Sie gerade eine Position mit Verlust geschlossen haben. Machen Sie unmittelbar danach keine weiteren Trades und warten Sie, bis Sie den Verlust vollständig verarbeitet haben.
- Wenn Sie nervös oder angespannt sind, beschäftigen Sie sich besser mit etwas anderem als der Börse und lesen ein gutes Buch. Oder hören Sie klassische Musik. Bach und Mozart haben erwiesenermaßen einen beruhigenden Einfluss auf die Nerven.
- Versuchen Sie nicht nur an der Börse, sondern auch in Ihrem sonstigen Alltagsleben stets Ihre Emotionen in den Griff zu bekommen und verstandesorientiert zu handeln. Zum einen wird Ihr ganzes Leben dadurch wesentlich klarer und angenehmer, weil Sie einen guten Grund für alle Ihre Entscheidungen haben, anstatt sich von vagen Gefühlen leiten zu lassen. Und zum anderen wird sich diese Handlungsweise auch positiv auf Ihren Börsenerfolg auswirken.

Zugegeben, viele dieser Vorschläge mögen auf Sie vielleicht banal oder wie Gemeinplätze wirken. Das sind sie aber keineswegs. Denn die meisten Fehlschläge an der Börse beruhen eben auf diesen simplen, gefühlsgesteuerten Reaktionen. Es sind die Emotionen, die die meisten Börsianer antreiben und von denen sie sich ihre Handlungen diktieren lassen. Und Angst und Gier stehen dabei an erster Stelle. Wenn es Ihnen gelingt, diese Emotionen im Griff zu haben, haben Sie gegenüber wenigstens 90 Prozent der anderen Marktteilnehmer schon einmal eine Menge voraus.

7. Portfolioaufbau

„Es ist bei weitem besser, ein herausragendes Unternehmen zu einem anständigen Preis zu kaufen, als ein anständiges Unternehmen zu einem herausragenden Preis." (Waren Buffett)

Wenn Sie erfolgreich mit Aktien handeln wollen, bedeutet das, dass Sie sich ein Portfolio aufbauen müssen. Als Portfolio bezeichnet man die Gesamtheit aller Aktien, die Sie sich in Ihrem Depot zusammenstellen. Bei der Zusammenstellung Ihres Portfolios sollten Sie auf eine Risikostreuung achten. Kaufen Sie nicht nur Aktien aus einer Branche, sondern investieren Sie in verschiedene Branchen und Industrien. Achten Sie auch auf eine geografische Streuung. Viele Anleger machen den Fehler, nur in Aktien aus dem heimischen Wirtschaftsraum, also aus Deutschland und seinen Nachbarländern zu investieren. Damit verschenken Sie zum einen Potential, was die Risikostreuung betrifft. Zum anderen verschenken Sie damit auch potentielle Gewinne, denn auch in anderen Regionen der Welt gibt es lukrative Aktien, die hohe Renditen versprechen. Streuen Sie Ihre Investitionen also sowohl über verschiedene Branchen als auch über verschiedene geografische Regionen, um eine in jeder Hinsicht hohe Risikostreuung zu erreichen.

7.1. Der Aufbau eines Portfolios braucht Zeit

Der Aufbau eines Portfolios kann sich durchaus über einen längeren Zeitraum hinziehen. Das gilt naturgemäß besonders dann, wenn Sie nur ein kleines Einstiegskapital zur Verfügung haben. In diesem Fall lohnt es sich nicht, das zur Verfügung stehende Kapital am Anfang in allzu viele verschiedene Positionen aufzuteilen, denn schließlich werden beim Ankauf und Verkauf jeder Aktie auch Bankgebühren fällig und je kleiner der Anlagebetrag ist, desto höher ist im Verhältnis die

Gebührenbelastung bei jeden Ankauf und Verkauf. Starten Sie daher, wenn Ihnen nur eine kleine Anlagesumme zur Verfügung steht, zunächst nur mit einer oder zwei Aktien, die Sie dafür umso sorgfältiger auswählen sollten. In den folgenden Monaten können Sie dann langsam Ihr Portfolio um weitere Werte ergänzen und Ihre Anlage nach und nach weiter streuen.

Diversifizierung zur Risikostreuung ist wichtig, aber bei einem kleinen bis mittleren Portfolio sollten Sie dabei trotzdem nicht übertreiben. Bei zu vielen Einzelwerten laufen Sie Gefahr, den Überblick zu verlieren. Schließlich müssen Sie die Wertentwicklung der einzelnen Aktien ebenso im Auge behalten wie die relevanten Wirtschaftsnachrichten zu den einzelnen Firmen. Der Aufwand kann bei einem sehr weit gestreuten Portfolio beträchtlich ansteigen. Für den Anfang sollten sie sich auf 10, allerhöchstens 15 bis 20 verschiedene Aktien beschränken. Bis zu einem Portfoliowert von 50.000 Euro sollten zehn verschiedene Aktien vollkommen ausreichend sein. Sonst werden die Einzelpositionen zu klein und ein zu hoher Teil des Gewinns wird von den Bankgebühren aufgefressen.

7.2. Die wichtigste Grundregel beim Aufbau Ihres Portfolios

Aufbauen – Diversifizieren – Abwarten – Ernten. In dieser Reihenfolge müssen Sie vorgehen:

Bauen Sie zuerst ein Portfolio aus einigen, wenigen Werten auf. Wenn das Portfolio eine gewisse Zielgröße erreicht hat, beginnen Sie, Ihre Anlagen stärker zu streuen.

Schließlich brauchen Sie nur noch Geduld. Je nach Anlagehorizont kann es einige Wochen, einige Monate oder einige Jahre dauern, bis Sie die ersten Aktien aus Ihrem Portfolio mit einem schönen Gewinn verkaufen können.

7.3. Tipps zum Portfolioaufbau

1. Halten Sie sich zu Beginn an ganz normale Aktien oder Aktienfonds und vermeiden Sie andere Investmentvehikel wie CFDs, Optionen oder Devisenspekulationen, die Ihren Kenntnisstand derzeit noch übersteigen und womöglich zu hohen Verlusten führen können.

2. Diversifizieren Sie Ihre Anlagen nach Branchen und geografischen Regionen, um eine möglichst hohe Risikostreuung zu erreichen.

3. Verfolgen Sie stets die aktuellen Wirtschaftsnachrichten und halten Sie jederzeit nach neuen Anlagemöglichkeiten Ausschau.

4. Wenn Sie eine Aktie mit Gewinn verkauft haben, dann investieren Sie den Erlös nicht sofort wieder, sondern halten Sie das Geld erst einmal als „Munition" zurück und suchen Sie in aller Ruhe nach einer neuen Einstiegsmöglichkeit. Lassen Sie sich Zeit – es gibt keine verpassten Gelegenheiten. Investitionsmöglichkeiten an der Börse sind wie die U-Bahn, hat der legendäre Börsenexperte André Kostolany gesagt. Wenn man eine verpasst, kommt nach kurzer Zeit die nächste. Also halten Sie Ihr Pulver trocken und lassen Sie sich grundsätzlich viel Zeit mit Ihren Investitionsentscheidungen.

5. Bauen Sie Ihr Kapital langsam aber sicher auf. Wenn Sie Ihr Kapital verdoppelt haben, können Sie daran denken, die maximale Zahl der Aktien in Ihrem Portfolio zu erhöhen, um die Risikostreuung zu verbessern.

6. Zumindest ein Teil der Aktien in Ihrem Portfolio sollten Langzeitinvestments mit einem Anlagehorizont von wenigstens zehn Jahren sein. Ein Langzeitinvestment ist eine stressfreie Anlage, die den großen Vorteil hat, dass Sie sich um zwischenzeitliche Marktschwankungen nicht groß kümmern. Nehmens wir als Beispiel eine Aktie von Nestlé: Die Aktien dieses Unternehmens sind langfristig betrachtet immer wertvoller geworden und Kurseinbrüche waren immer nur vorübergehender Natur. Nestlé ist der größte Lebensmittelkonzern der Welt und betreibt ein weitgehend krisenfestes Geschäft. Wir können also davon

ausgehen, dass Nestlé auch in Zukunft weiter an Wert gewinnen wird.

7. Besonders wenn Ihnen nur wenig Startkapital zur Verfügung steht, aber Sie stattdessen einen regelmäßigen Monatsbetrag anlegen möchten, bietet sich eine Investition in ETFs an. ETFs können Sie schon mit kleinen Beträgen von z. B. 100 Euro im Monat kaufen. Wenn Sie einen ETF auf einen Index kaufen, können Sie nichts falsch machen. Der DAX ist in den letzten Jahrzehnten langfristig immer weiter gestiegen, genau wie die anderen großen Indizes wie der Dow Jones. Sie können auch in ETFs investieren, die sich auf bestimmte Branchen oder Regionen spezialisiert haben. Sie können auf diese Weise schon zu Beginn ein Portfolio mit einer guten Risikostreuung mit einem sehr kleinen monatlichen Betrag aufbauen. Manchmal kann es auch sinnvoll sein, Fonds und Aktien zu mischen. Nehmen wir an, Sie haben bereits in einige sorgfältig ausgewählte deutsche Aktien investiert, die Sie sehr genau recherchiert haben und deren Entwicklung Sie genau beobachten. Nun möchten Sie zusätzlich etwas Geld in Aktien aus Nordamerika oder Südostasien investieren. Hier kann es die bessere Lösung sein, in einen klassischen Aktienfonds zu investieren, bei dem sich das Fondsmanagement um die Auswahl der Aktien kümmert. Sie sparen sich damit den hohen Aufwand für die Recherche und die Auswahl der Aktien in diesen geografisch weit entfernten Märkten. Besonders bei Investitionen in Schwellenländern sollten Sie immer lieber auf Fonds setzen, da es schwerer ist, zuverlässige Informationen zu bekommen und die Investitionen dort mehr Fachwissen erfordern.

8. Wenn Sie wollen, können Sie sich außer in Aktien auch einmal an anderen, risikoarmen Anlegevehikeln versuchen. Beispielsweise an Anleihen. Aber bedenken Sie bei allen Ihren Investitionen immer: Das Geld wird in den Unternehmen erwirtschaftet und an Unternehmen sind Sie nur mit Aktien oder Aktienfonds beteiligt. Und dabei sollten Sie vorerst bleiben.

8. Risikomanagement

„Es ist gewinnbringender, einen Tag im Monat über Geld nachzudenken, als 30 Tage dafür hart zu arbeiten." (J.D. Rockefeller)

Ein wichtiger Punkt beim Investieren in Aktien ist ein funktionierendes Risikomanagement. Wenn wir in Aktien investieren, versuchen wir unser Risiko aktiv zu begrenzen. Ziel des Risikomanagements ist es, das Eintreten eines Verlusts soweit es möglich ist, zu minimieren. Natürlich ist dieses Ziel nie zu hundert Prozent erreichbar, bei jeder Aktienanlage gibt es ein gewisses Verlustrisiko. Wir können dieses Risiko aber durch ein geschicktes Risikomanagement so weit wie menschenmöglich minimieren.

Beim Risikomanagement geht es zum einen darum, das Risiko durch geschickte Streuung der Anlage an sich zu minimieren (nicht alle Eier in einen Korb legen). Es geht aber auch darum, das Risiko zu verringern, in dem wir versuchen, für jede Aktie den jeweils optimalen Zeitpunkt für den Einstieg oder Ausstieg zu finden.

8.1. Diversifizierung

Sie können das Ausfallrisiko Ihrer Anlagen deutlich reduzieren, in dem Sie Klumpenrisiken vermeiden und Ihre Aktien und Fondsanteile so gut es geht diversifizieren. Kaufen Sie Aktien verschiedener Unternehmen aus verschiedenen Industriezweigen und aus verschiedenen geografischen Regionen. Sie verringern auf diese Weise das Risiko, dass eine plötzliche negative Entwicklung in einer Weltregion oder einer Branche gleich Ihr gesamtes Portfolio in Mitleidenschaft zieht. Eine sinnvolle Streuung der Anlagen ist allerdings erst ab einer gewissen Depotgröße möglich. Es macht keinen Sinn, eine kleine Anlagesumme in zu viele Einzelpositionen aufzuspalten, weil die Gebühren für Ankauf und Verkauf der Aktien sonst einen zu großen Teil der Anlagesumme auffressen. Bei kleinen Anlagesummen ist es besser auf einen herkömmlichen Aktienfonds, oder noch besser, auf einen ETF zu setzen, weil dort die Streuung bereits quasi eingebaut ist.

8.2. Der richtige Einstiegszeitpunkt

Sichern Sie sich immer ab, wenn Sie eine Aktie kaufen. Geben Sie bei jeder Kauforder immer einen Höchstpreis ein, bis zu dem Sie bereit sind, die Aktie zu kaufen. Wenn Sie das nicht machen, wird Ihre Order ausgeführt, egal wie sich der Preis der Aktie in den nächsten Minuten nach Aufgabe Ihrer Order entwickelt. In den meisten Fällen passiert zwar in diesem kurzen Zeitraum nichts Aufregendes. Irgendwann wird es Ihnen aber passieren, dass es bei einer Aktie ausgerechnet in diesem kurzen Zeitraum zwischen dem Erteilen Ihrer Kauforder und der Ausführung derselben zu einer kurzfristigen Aufwärtsbewegung des Preises kommt – und dann haben Sie plötzlich sehr viel mehr für die Aktie bezahlt, als Sie ursprünglich geplant hatten und Ihre Gewinnaussichten verdüstern sich plötzlich beträchtlich. Zumal Sie bei so kurzen heftigen Kursschwankungen getrost davon ausgehen können, dass der Kurs nach ausgeführter Order zügig beginnen wird, wieder zu fallen und Sie erst einmal eine satten Verlust einfahren. Begrenzen Sie darum Ihre Order immer mit einem Höchstpreis, den Sie zu zahlen bereit sind. Wird der Preis zwischenzeitlich überschritten, wird Ihre Order von Ihrer Depotbank nicht ausgeführt. Selbstverständlich geht es auch anders herum. Sie können einen Kaufauftrag mit einem Höchstpreis anlegen, der unterboten werden muss, bevor der Auftrag ausgeführt wird. Wenn Sie zum Beispiel davon überzeugt sind, dass der Kurs einer Aktie fallen wird, dann können Sie einen Kaufauftrag anlegen mit einem niedrigeren Kaufpreis als dem derzeitigen Preis der Aktie. Fällt der Preis der Aktie unter den im Kaufauftrag angelegten Wert, wird der Auftrag von der Bank automatisch ausgeführt und die Akte in der von Ihnen vorab gewünschten Stückzahl gekauft.

8.3. Der richtige Ausstieg

Genauso wichtig wie der richtige Einstieg ist natürlich der Zeitpunkt für den richtigen Ausstieg. Beim richtigen Ausstieg geht es uns vor allem darum, den Profit zu maximieren. Ein Ausstieg, um Verluste zu begrenzen, sollte die Ausnahme sein. Legen Sie im Vorfeld fest, bei welchem Gewinn Sie die Aktie verkaufen wollen und halten Sie sich strikt an diese einmal getroffene Entscheidung.

An dieser Stelle wollen wir auch auf die berüchtigten Stopp-Loss-Marken eingehen. Sie können, um Ihr Risiko zu begrenzen, von vorneherein bestimmte Schwellenwerte setzen, bei denen die Aktie automatisch von Ihrer Depotbank verkauft wird. Entweder um Gewinne zu vermeiden (Stopp-Loss) oder um Profite zu realisieren (Take-Profit). Diese Automatismen haben Vorteile und Nachteile. Besonders die automatischen Stopp-Loss-Aufträge haben Schattenseiten. Werden sie zu eng gesetzt, besteht die Gefahr, dass schon bei relativ geringen Schwankungen der Kurse Verkaufsaufträge zur Verlustbegrenzung ausgeführt werden und der Kurs sich womöglich nur Minuten, Stunden oder wenige Tage später wieder erholt. In diesem Fall hat der Stopp-Loss nur zusätzliche Spesen produziert und für unnötige Kontobewegungen gesorgt. Wenn Sie mit Stopp-Loss-Marken arbeiten, sollten diese auf keinem Fall zu eng gesetzt werden. Besonders gilt das für Aktien, die ohnehin zu größeren Kursschwankungen neigen. Andererseits können Stopp-Loss-Marken sinnvoll sein, wenn Ihnen vorübergehend die Zeit fehlt, um die Kursentwicklung ständig zu überwachen. Zum Beispiel weil Sie im Urlaub sind und dort vielleicht keinen Internetzugriff auf Ihr Wertpapierdepot haben.

Um Gewinne ab einem bestimmten Schwellenwert zu realisieren, machen automatische Verkaufsaufträge dagegen durchaus Sinn.

8.4. Warum Geschwindigkeit zweitrangig ist

Geben Sie sich nicht der Illusion hin, mit Stopp-Loss-Marken schneller zu sein als andere Marktteilnehmer. In Sachen Geschwindigkeit kann heute niemand mehr mit den Big Playern mithalten. Investmentbanken betreiben Hochgeschwindigkeitshandel und benutzen ausgefeilte Computerprogramme – Techniken, die für den Normalverbraucher unerreichbar und unerschwinglich sind und mit denen diese Großanleger immer einen Geschwindigkeitsvorteil haben. Von dem Vorteil, den die ausgefeilten Analyseprogramme bieten, ganz zu schweigen. Sie sollten nicht versuchen, kurzfristige Marktschwankungen ausgleichen zu wollen. Daytrading, bei dem kurzfristige Kursschwankungen ausgenutzt werden, ist definitiv eine Wissenschaft für sich und was das Verlustrisiko betrifft, irgendwo zwischen Poker und Roulette angesiedelt. Vielleicht 5 von 100 Neueinsteigern sind dabei wirklich erfolgreich, der Rest muss früher oder später aufgeben. Setzen Sie stattdessen auf langfristige Wertsteigerungen, die auf einen gestiegenen Unternehmenswert zurückzuführen sind und die nachvollziehbare und reale Grundlagen haben.

Eine weitere Möglichkeit ist, dass Sie bei Erreichen eines bestimmten Kurszieles Aktien in Höhe des erzielten Gewinnes verkaufen und den Rest der Aktien in Höhe des ursprünglichen Kaufpreises noch weiterhin halten. Dieses Vorgehen bietet sich zum Beispiel an, wenn Sie der Aktie noch weitere Kurssteigerungen zutrauen, aber andererseits auch einen Teil des bereits erzielten Gewinnes realisieren wollen. Auch das gegenteilige Vorgehen kommt in Betracht: Verkaufen Sie Aktien in Höhe des ursprünglichen Kaufpreises und halten Sie weiterhin einen Teil der Aktien in Höhe des bisher erzielten Kursgewinnes.

Für welches Vorgehen Sie sich letztlich entscheiden ist eine Frage, die Sie im Vorfeld im Rahmen Ihrer Anlagestrategie geklärt haben sollten.

Halten Sie sich an Ihre Strategie, halten Sie sich an die Regeln, die Sie selbst im Vorfeld für jedes Investment aufgestellt haben. Wenn es Ihnen gelingt, die Risiken so gut es geht zu minimieren, haben Sie bereits einen großen Schritt hin zu einem erfolgreichen Aktieninvestment getan und werden langfristig auch erfolgreich am Markt agieren.

9. Anfängerfehler

„Aktienkurse werden nicht nur von Erwartungen in der Zukunft beeinflusst, sondern auch von den Erwartungen an diese Erwartungen."

Vergessen Sie niemals, Ihr Portfolio wie ein Geschäft zu betrachten. Investieren an der Börse ist ein Geschäft. Eines, mit dem man sehr wohlhabend werden kann. Warren Buffett und viele andere Reiche und Superreiche haben an der Börse ein Vermögen gemacht. Wobei Warren Buffett stets Unternehmen mit einem einfachen leicht verständlichen Geschäftsmodell bevorzugte, wie beispielsweise Gilette oder Coca-Cola.

Wichtig für Ihren Erfolg an der Börse ist aber zunächst einmal, die schlimmsten Anfängerfehler zu vermeiden. Es sind immer dieselben Fehler, die Anfänger an der Börse viel Geld kosten und die im schlimmsten Fall dazu führen, dass das eingesetzte Kapital ganz oder teilweise verloren geht. Lassen Sie uns also einen Blick auf die sieben schlimmsten Anfängerfehler werfen.

7 Fehler, die Sie unbedingt vermeiden müssen

1. Kaufen und Verkaufen Sie nicht aus dem Bauch heraus ohne Plan. Machen Sie niemals den Fehler, eine Aktie zu kaufen oder zu verkaufen, weil Ihr Gefühl Ihnen dazu rät. Oder weil sie von irgendjemandem einen „heißen Tipp" bekommen haben. Kaufen und Verkaufen Sie Aktien nur nach genauer Überlegung innerhalb Ihres Investmentplans, den Sie vorher ausgearbeitet haben. „Hin und her macht Taschen leer" ist eine der wichtigsten Börsenregeln, nach denen Sie sich als Anfänger richten sollten. Gefühle haben an der Börse ebenso wenig etwas verloren wie sprunghaftes und impulsives Handeln. Wer Geduld hat und abwarten kann, wird langfristig erfolgreich sein.

Spielernaturen, die Augenblicksentscheidungen treffen, werden am Ende immer schmerzhafte Verluste einfahren. Natürlich kann das einige Male gut gehen und Sie können vorübergehend Glück mit solchen Anlageentscheidungen haben. Aber wenn Sie ohne wirkliches Hintergrundwissen und ohne Plan Aktien kaufen und verkaufen, dann betreiben Sie Glücksspiel und kein seriöses Börsengeschäft. Zum Glücksspiel braucht man aber vor allem Glück. Und das Glück ist sehr launisch und bleibt selten lange.

2. Ein anderer Fehler, der schon viele Neulinge teuer zu stehen gekommen ist, ist es, den Überblick über das große Ganze zu verlieren. So kann es geschehen, dass Sie bei der Betrachtung eines Aktienkurses über einen kurzfristigen Zeitraum von wenigen Stunden oder Tagen zu dem Schluss kommen, dass die Aktie sich in einem Aufwärtstrend befindet. Bei näherer Betrachtung über einen längeren Zeitraum stellt sich dann heraus, dass die Aktie sich in Wirklichkeit schon seit Monaten auf einem unaufhaltsamen Sinkflug befindet, der nur vorübergehend von kurzen Erholungsphasen unterbrochen wird. Machen Sie also nicht den Fehler, einzelne Zeitebenen isoliert zu betrachten, sondern betrachten Sie die langen ebenso wie die kurzfristigen Kursentwicklungen immer als Ganzes, um eine realistische Einschätzung der Lage einer bestimmten Aktie bekommen zu können.

3. Halten Sie Ihre Gefühle unter Kontrolle. Es ist eine Binsenweisheit, die aber nicht oft genug wiederholt werden kann, weil sie in der Praxis so ausgesprochen schwer umzusetzen ist. Treffen Sie keine Entscheidungen, wenn Sie nervös, ängstlich und angespannt sind. Schalten Sie den Computer ab und befassen Sie sich mit etwas anderem, bis Sie Ihr inneres Gleichgewicht wieder gefunden haben. Das gleiche gilt auch, wenn Sie sich nach einem Erfolg in einem Zustand der Euphorie und der Freude befinden. Schalten Sie auch dann den Computer erst einmal ab und genießen Sie Ihren Erfolg. Warten Sie, bis Sie sich beruhigt haben und die Euphorie verflogen ist, bevor Sie neue Anlageentscheidungen treffen. Eine Hilfe kann es sein, ein Handelstagebuch zu führen, in dem Sie alle Ihre Anlageentscheidungen schriftlich

festhalten und dabei jeweils kurz begründen, was Sie zu der jeweiligen Anlageentscheidung bewogen hat. Sie können auf diese Weise Ihre früheren Trades noch einmal Revue passieren lassen und dabei reflektieren, wie die jeweilige Entscheidung zustande gekommen ist. Auf diese Weise können Sie im Nachhinein erkennen, ob Sie sich bei einer Entscheidung von harten Fakten oder von Gefühlen haben leiten lassen.

4. Nehmen Sie nicht jede Anlageempfehlung als bare Münze und hören Sie nicht zu viel auf andere. Natürlich sollen und müssen Sie sich so gut wie irgendwie möglich über den Markt informieren und Ihr bestes tun, um Informationen zu sammeln, um eine möglichst rationale und wohlbegründete Entscheidung zu treffen. Bedenken Sie aber, dass längst nicht alle Meldungen und Nachrichten, die Sie in der Presse und auf Internetseiten finden, immer objektiv und unvoreingenommen sind. Bei vielen Artikeln handelt es sich um gezielte Meinungsmache, um den Kurs einer Aktie zu manipulieren und nach oben zu treiben. Es gibt häufig Einflussnahmen und Interessenüberschneidungen, so dass Sie bei vielen Publikationen nicht sicher sein können, ob die Berichterstattung wirklich objektiv ist. Besonders gilt das für Webseiten und Börsenzeitschriften, die sich direkt und ausdrücklich an Aktionäre richten.

5. Richten Sie keine überzogenen Erwartungen an sich oder an Ihren Fondsmanager. Bei den meisten Fonds können Sie froh sein, wenn es ihnen überhaupt gelingt, nennenswert besser als der Index abzuschneiden. Auch die Möglichkeiten und Fähigkeiten von Fondsmanagern sind begrenzt und beschränkt. Sie haben zwar mehr Geld zur Verfügung, sind aber dafür durch zahlreiche institutionelle Beschränkungen nicht völlig frei in ihren Anlageentscheidungen. Gehen Sie auch nicht zu hart mit sich selbst ins Gericht. Besonders nicht dann, wenn Sie noch Anfänger auf dem Gebiet des Börsenhandels sind. Gelegentliche Verluste und Rückschläge sind unvermeidbar und kein Drama, solange Sie sich an Ihre Anlagestrategie halten und das große Ganze im Blick behalten.

6. Ein weiterer Fehler, der immer wieder gemacht wird, ist, die Anlagestrategie nicht sinnvoll auf das eigene Lebensalter abzustimmen. Wenn Sie zum Beispiel im jugendlichen Alter von 18 Jahren damit anfangen, ein Aktienportfolio aufzubauen, dann ist es unsinnig, große Risiken einzugehen. Sparen Sie eine überschaubare monatliche Summe in einem Aktienfonds. Sie haben aller Wahrscheinlichkeit noch annähernd 40 Jahre im Erwerbsleben vor sich und brauchen sich deswegen wegen des Zeithorizonts keine Sorgen zu machen. Anders sieht es aus, wenn Sie erst mit beispielsweise Mitte 40 ernsthaft damit beginnen, ein Aktiendepot aufzubauen. In diesem Fall müssen Sie höhere Risiken eingehen und auf Einzelaktien mit höheren Renditechancen, aber auch höheren Risiken setzen, wenn Sie das gleiche Ergebnis erzielen wollen, als jemand, der bereits in jüngeren Jahren damit begonnen hat, sich ein Aktiendepot aufzubauen.

7. Akzeptieren Sie, dass Verluste unvermeidlich sind. Sie können den einen oder anderen Verlust erleiden, das ist keine Katastrophe, solange Ihre Bemühungen am Jahresende einen Gewinn erwirtschaftet haben. Trauern Sie Verlusten nicht hinterher und versuchen Sie vor allem nicht, eingetretene Verluste durch neue, waghalsige Transaktionen „wieder hereinholen“ zu holen. Diese Vorgehensweise führt nur zu neuen Verlusten. Analysieren Sie Ihre Verlusttrades stattdessen mit einem gewissen zeitlichen Abstand anhand Ihres Tagebuchs und versuchen Sie zu identifizieren, worin genau der Fehler lag, der zu dem Verlustereignis geführt hat.

10. Tipps und Tricks

„Der Markt hat immer Recht."

Sie wissen jetzt, welches die wichtigsten Fehlerquellen und Stolpersteine bei Börsenanfängern sind, die einem erfolgreichen Einstieg in die Welt des Aktienhandels entgegenstehen. In diesem Kapitel sollen Sie einige hilfreiche Tipps und Tricks kennenlernen, die Ihnen den Einstieg erleichtern werden.

10.1. Wichtig ist nur die Gesamtrendite

Schon der damalige Altbundeskanzler Helmut Kohl wusste: „Entscheidend ist, was hinten rauskommt". Sie müssen damit leben, dass Sie den einen oder anderen Trade mit Verlust schließen werden. Sie müssen bei einer Anlage in Aktien auch mit dem einen oder anderen schwachen Jahr rechnen, in dem Sie wenig oder gar keine Rendite erhalten. Es kann sogar das eine oder andere Jahr mit echten Verlusten geben. Entscheidend sind aber nicht einzelne Verlust- oder Gewinnjahre, entscheidend ist die Performance Ihrer Aktienanlage über den gesamten Anlegezeitraum, seien es nun 5 Jahre, 10 Jahre oder 30 Jahre. Die Märkte können sich auch für einen längeren Zeitraum einmal seitwärts bewegen. Die Entwicklung der Aktienkurse folgt nicht immer der tatsächlichen Wertentwicklung der Unternehmen. Mal nehmen die Kurse künftige Wertsteigerungen vorweg, manchmal sind die Aktienkurse in Relation zum Wert eines Unternehmens deutlich zu billig (Kaufgelegenheit!). Was zählt ist die Gesamtrendite, die am Ende bleibt.

10.2. Der richtige Einstieg ist entscheidend

Versuchen Sie bei Ihren Investments einen möglichst optimalen Einstiegszeitpunkt zu finden. Beobachten Sie den Markt und versuchen

Sie zu erkennen, ob es noch einen günstigeren Einstiegszeitpunkt geben könnte. Hin und wieder gibt es einmalige Ereignisse, die Ihnen helfen können. Versuchen Sie solche Ereignisse zu erkennen und zu Ihren Gunsten zu nutzen. Als das italienische Kreuzfahrtschiff Costa Concordia vor der italienischen Küste kenterte, sackte nicht nur der Aktienkurs der verantwortlichen Reederei in den Keller, sondern die Aktien praktisch aller Kreuzfahrtanbieter mussten drastische Kurseinbrüche hinnehmen. Allerdings nur vorübergehend, die Kurse haben sich sehr schnell wieder erholt, da es ja objektiv keinen Grund für so einen Preisrückgang gab. Ausgelöst wurde der Preisrückgang ausschließlich durch die Panikverkäufe übernervöser Anleger. Wer in dieser Situation die Gunst der Stunde genutzt hat, konnte die Aktien zu einem sehr günstigen Preis erwerben und sich schon kurze Zeit später über kräftige Kurssteigerungen freuen. Auch während der Finanzkrise 2008 gab es interessante Kaufgelegenheiten. Nach Möglichkeit sollten Sie es vermeiden, in Aktien zu investieren, die gerade ein Allzeithoch erreicht haben. Denn aus der Vergangenheit lassen sich nur bedingt Rückschlüsse auf die Zukunft ziehen und eine Aktie, die in den letzten Monaten massiv gestiegen ist, muss das keineswegs auch in Zukunft tun. Um die Jahrtausendwende mussten viele Menschen, die Aktien der Deutschen Telekom zu damaligen Höchstpreisen erworben haben, kurze Zeit später eine bedauerliche Erfahrung machen: Die Aktien fielen, fielen und fielen und haben sich bis heute von diesem Kurssturz nicht wieder erholt.

10.3. Machen Sie Trockenübungen

Sie müssen bei Ihren Trades nicht immer gleich echtes Geld benutzen. Richten Sie sich einen oder mehrere Demo-Accounts ein, wo Sie die Möglichkeit haben, mit Spielgeld virtuelle Börsengeschäfte zu tätigen. Dabei läuft alles genauso ab, wie bei einem „richtigen" Börsengeschäft, nur dass in Wirklichkeit weder Aktien noch Geld bewegt werden. Das Ganze ist eine Simulation. Aber eine, die sehr gut geeignet ist, Ihnen schon einige Börsenerfahrung zu verschaffen, bevor Sie damit beginnen, mit echtem Geld zu handeln. Sie können mit Demokonten eine Menge machen: Sie können Ihre Strategien erproben und gegeneinander austesten, Sie können verschiedene Depots zum Testen erstellen usw. Demokonten sind ein ausgesprochen wertvolles Hilfsmittel, besonders wenn Sie sie mit dem Tool aus dem nächsten Punkt kombinieren. Zeichnen Sie auch Ihre Demotrades auf und behandeln Sie sie so, als wären es echte Trades mit echtem Geld, dann ist der Lerneffekt am Größten.

10.4. Nutzen Sie Ihr Tradingtagebuch

Auch wenn es bereits erwähnt wurde: Ihr Tradingtagebuch ist Ihr wichtigstes Werkzeug, um Erkenntnisse zu sammeln und Ihre Fähigkeiten weiter zu entwickeln. Alles, was wir aufgeschrieben haben, bleibt länger und intensiver in unserem Gedächtnis präsent. Ein gut geführtes Tradingtagebuch sorgt dafür, dass Ihnen Ihre Erfolge und Misserfolge gegenwärtig bleiben und Sie den Überblick behalten. Halten Sie alle Trades in chronologischer Reihenfolge fest. Das können Sie gerne in digitaler Form in Ihrem Computer oder Smartphone machen. Eventuell ist es aber besser, stattdessen auf ein ganz konservatives und herkömmliches Tagebuch aus Papier zurückzugreifen und Ihr Tradingtagebuch handschriftlich zu führen. Das Verlustrisiko dürfte kleiner sein und Sie können das Tagebuch auch ohne eine Stromquelle nutzen.

10.5. Holen Sie eine zweite Meinung ein

Stützen Sie Ihre Meinung über eine Aktie niemals auf nur eine Informationsquelle. Wie wir bereits festgestellt haben, sind die wenigstens Medien wirklich objektiv und nicht wenige Berichte werden unter der Hand mit reichlich Geld beeinflusst. Und selbst wenn ein Börsenmagazin redaktionell wirklich unabhängige Artikel bringt: Vergessen Sie nicht, wer in Form der Werbekunden die Hauptgeldgeber für diese Magazine sind. Nehmen Sie nicht jeden Rat und jeden Bericht für bare Münze. Ziehen Sie immer mehrere Zeitungen, Webseiten, Newsletter oder Börsenbriefe zu Rate und verlassen Sie sich nicht blind auf nur einen Ratgeber. Holen Sie sich immer eine zweite, notfalls auch eine dritte oder vierte Meinung und versuchen Sie sich, so gut es geht, ein eigenes Bild zu machen, anstatt unreflektiert die Meinungen anderer zu übernehmen. Selbst denken ist Trumpf.

10.6. Kaufen Sie niemals auf Kredit

Möglicherweise bietet Ihnen Ihre Depotbank die Option, Aktien oder andere Wertpapiere mittels eines sogenannten Wertpapierkredites zu kaufen. Dabei stellt Ihnen die Bank einen Kredit zur Verfügung. Als Sicherheit dient dabei entweder wie bei einem herkömmlichen Dispokredit Ihr Einkommen, meistens aber die bereits vorhandenen Aktien in Ihrem Depot. So können Sie z. B. Ihr Aktiendepot im Wert von 20.000 Euro mit zusätzlichen 10.000 Euro beleihen und mit dem geliehenen Geld weitere Aktien kaufen. Auf diese Weise können Sie ein größeres Volumen bewegen, als es der Fall wäre, wenn Sie ausschließlich mit eigenem Geld spekulieren würden. Ein guter Rat: Nutzen Sie diese Möglichkeit nicht. Denn wenn Sie sich verspekulieren und Ihr Aktiendepot im Wert fällt, dann bleibt der Kredit in voller Höhe bestehen, Ihre Aktien reichen jedoch als Sicherheit nicht mehr und schließlich wird die Bank Ihre Aktien verkaufen, um Ihren Kredit abzusichern. Das Ende: Ihre Wertpapiere sind weg und Sie bleiben auf den Restschulden sitzen. Auf Kredit gekaufte Aktien haben übrigens maßgeblich zum verheerenden Verlauf der Weltwirtschaftskrise von 1929 beigetragen.

10.7. Investieren Sie nur Geld, auf das Sie im Notfall verzichten können

Machen Sie niemals den Fehler, Geld an der Börse zu investieren, das Sie schon für einen bestimmten Zweck verplant haben. Investieren Sie ausschließlich Geld in Aktien, dessen Verlust Sie im Notfall verschmerzen können. Es ist unmöglich, an der Börse mit kühlem Kopf zu handeln, wenn Sie dabei mit lebenswichtigen Ersparnissen hantieren, deren Verlust Sie auf keinen Fall verschmerzen können, wie z. B. Geld, dass Sie bereits fest für die Ausbildung Ihrer Kinder oder als

Rücklage für eine bald anstehende Hausrenovierung eingeplant haben. Wenn Sie kein Geld haben, dass Sie ruhigen Gewissens an der Börse einsetzen können, dann sollten Sie lieber zunächst etwas Startkapital ansparen und Ihre Pläne erst einmal zurückstellen. Das mag schwerfallen, wenn Sie gerade Blut geleckt haben und nun selbst endlich einsteigen wollen, doch es ist besser, sich einige Monate zu gedulden, als am Ende plötzlich ohne wichtige finanzielle Polster dazustehen.

11. Die Wahl der richtigen Depotbank

„Ich habe wohl nicht mehr als in der Hälfte der Fälle Recht, aber ich verdiene einfach sehr viel Geld, wenn ich richtig liege und ich verliere so wenig Geld wie möglich, wenn ich unrecht habe." (George Soros)

Wenn Sie an der Börse mit Aktien handeln wollen, brauchen Sie ein Wertpapierdepot, das Sie bei einer Bank einrichten müssen. Inzwischen bieten fast alle Banken die Möglichkeit, ein Wertpapierdepot für den Aktienhandel einzurichten. Trotzdem empfiehlt es sich, bei der Kontoeröffnung genau hinzusehen und auch einen Blick in das Kleingedruckte zu werfen.

Denn die Transaktionsgebühren bei den einzelnen Banken können sich ganz erheblich unterscheiden. Bei Filialbanken und Sparkassen bekommen Sie meistens deutlich schlechtere Konditionen als bei Direktbanken, die auf den Wertpapierhandel spezialisiert sind. In den letzten Jahren hat sich eine ganze Menge derartiger Banken in Deutschland etabliert. Sie können dort online ein Kombipaket aus Girokonto, Tagesgeldkonto und Wertpapierdepot eröffnen und das ganze zum Nulltarif. Dazu gibt es meist noch eine kostenlose Kreditkarte für Bargeldbehebungen. Kontoeröffnung und Kontoführung finden ausschließlich online statt. Es ist klar, dass Sie bei dieser Art der Kontoführung weitgehend auf sich gestellt sind. Zwar bieten die meisten Onlinebanken eine Menge kostenloses Online-Fortbildungsmaterial für ihre Kunden an. Auf eine individuelle Betreuung können Sie bei diesen Discountangeboten aber nicht erwarten.

Allerdings lohnt sich eine Bank, bei der Sie von einem Bankberater individuell bei Ihren Anlageentscheidungen beraten werden, ohnehin erst ab größeren Anlagesummen. Für den Anfang sind Sie bei einem klassischen Discountbroker wie Comdirekt oder Consors sicherlich gut aufgehoben. Sie bekommen dort problemlosen Zugang zum internationalen Aktienmarkt vom heimischen Schreibtisch aus und können sich darauf verlassen, dass alle Ihre Aufträge jederzeit schnell und zuverlässig ausgeführt werden.

11.1. Dinge, auf die Sie bei Ihrer künftigen Depotbank achten sollten

- Filialbank mit Kundenbetreuung oder Onlinebank? Wenn Sie sich für eine Depotbank mit Kundenbetreuung entscheiden, wird sich das in höheren Gebühren niederschlagen.
- Gibt es eine Mindestanlagesumme? Bei manchen Banken wird ein Mindestanlagebetrag für die Kontoeröffnung benötigt. Typische Summen sind beispielsweise 1.000,- 5.000,- oder 10.000.- Eur.
- Ein- und Auszahlungen: Sind Ein- und Auszahlungen unproblematisch und jederzeit möglich? Lassen Sie sich nicht auf Banken ein, die für Ein- und Auszahlungen vom Handelskonto Gebühren verlangen. Es gibt genug Banken, die diesen Service kostenlos anbieten oder Ihnen sogar noch ein Gratis-Girokonto mit Kreditkarte zum Handelskonto im Paket dazugeben.
- Wie sind die Gebühren strukturiert? Fällt eine feste Flatrate-Gebühr pro Trade an oder staffelt sich die Gebühr nach der Höhe der Transaktionssumme? Gibt es feste Gebühren, die monatlich für die Kontoführung anfallen? Werfen Sie einen genauen Blick in die Gebührenliste der Bank, damit Sie nichts Wesentliches übersehen.
- Manche Banken geben so etwas wie einen zusätzlichen Dispokredit auf Ihr Handelskonto. Das heißt, Sie können das Konto überziehen und Aktien mit geliehenem Geld kaufen. Damit vergrößern sich zwar Ihre Aktionsmöglichkeiten, aber auch das Risiko drastisch. Als Anfänger im Börsenhandel sollten

Sie so einen Wertpapierkredit auf gar keinen Fall in Anspruch nehmen, die Gefahr sich am Ende zu verspekulieren und auf einem Schuldenberg sitzen zu bleiben ist viel zu groß.

- Bietet Ihre Bank zusätzliche Dienstleistungen an? Gibt es die Möglichkeit mit Währungen zu handeln, mit Optionen oder Zertifikaten? Wenn Sie jetzt schon wissen, dass Sie es auf Dauer nicht beim reinen Aktienhandel belassen wollen, sondern auch mit anderen Wertpapieren handeln wollen, dann sollten Sie sich eine Bank suchen, wo Sie Ihr Konto Stück für Stück entsprechend erweitern können.

12. Ihr persönlicher Plan

„Der erfolgreiche Investor hat sehr viel Geduld, er kauft weit unter dem fairen Wert und verkauft weit über dem fairen Wert." (Warren Buffett)

Jetzt ist es so weit, dass Sie den Einstieg ins Börsengeschäft langsam in Angriff nehmen können. Wenn Sie nach dem folgenden Plan vorgehen, können Sie sicher sein, dass Sie nichts Wichtiges vergessen oder auslassen und Sie können sicher sein, dass Sie keinen der typischen Anfängerfehler machen. Vielleicht haben Sie auch den einen oder anderen Punkt auf dieser Liste für sich bereits abgehakt – nun, das macht nichts, Sie können den betreffenden Punkt dann einfach überspringen.

12.1. Sammeln Sie Startkapital

Haben Sie schon ausreichend Startkapital für Ihren Einstieg ins Börsengeschäft? Bitte verwenden Sie für die Börse nur Geld, dass Sie nicht zum Leben brauchen und das auch nicht für andere Verwendungszwecke wie eine Notfallreserve oder Ähnliches vorgesehen ist. Es muss sich um frei verfügbares Geld handeln, dessen eventueller Verlust keinerlei Auswirkung auf Ihre aktuelle Lebensführung hätte. Machen Sie auf keinen Fall den Fehler, Geld zu verwenden, dass Sie anderweitig noch dringend brauchen werden. Und auf gar keinen Fall dürfen Sie Ihren Einstieg in den Börsenhandel mit geliehenem Geld machen. Es ist unsexy, aber wenn Sie derzeit nicht genügend Geld haben, um an der Börse zu investieren, dann bleibt Ihnen nichts anderes übrig, als sich das Startkapital erst einmal zusammenzusparen. Nachdem Sie das Geld an der Börse eingesetzt haben, streichen Sie es aus Ihrem Bewusstsein und vergessen Sie, dass Sie dieses Geld je besessen haben. Das Geld existiert nur noch im Depot und dort kann es solange bleiben wie es nötig ist.

12.2. Wertpapierdepot eröffnen

Wenn Sie ausreichend Startkapital zusammen haben, können Sie sich daran machen, Ihr Wertpapierdepot bei einer Bank Ihres Vertrauens zu eröffnen. Es sind im Wesentlichen zwei Eigenschaften, auf die Sie achten müssen und die bei einem Wertpapierdepot stimmen müssen: Zum einen muss die Bank Ihre Aufträge schnell und ohne Verzögerung ausführen, zum anderen müssen sich die Gebühren im Rahmen halten. Gerade als Anfänger haben Sie kein Geld zu verschwenden. Mit einem Onlinebroker wie Flatex, Consors oder comdirect sind Sie normalerweise auf der sicheren Seite. Gerade die Angebote von Filialbanken und Sparkassen sollten Sie hingegen sehr kritisch unter die Lupe nehmen, weil hier teilweise beachtliche Gebühren anfallen. Wenn Sie Ihr Wertpapierdepot bei einer Onlinebank eröffnen, müssen Sie bei den meisten Banken Ihre Identität mit dem sogenannten Post-Ident-Verfahren bestätigen. Dieses antiquierte Verfahren wird allerdings immer öfter durch eine Videoidentifizierung per Skype ersetzt.

12.3. Überbrücken Sie die Wartezeit

Es dauert bei fast allen Banken einige Tage, bis Ihr neues Wertpapierdepot einsatzbereit ist und Sie die ersten Trades starten können. Bis dahin können Sie die Wartezeit auf überaus sinnvolle Weise nutzen. Gerade die Onlinebroker bieten auf ihren Internetseiten umfassendes Lehrmaterial an. Sie sollten dies unbedingt durcharbeiten, denn es handelt sich hier um wertvolles Basiswissen, was Sie auf diese Weise kostenlos vermittelt bekommen.

12.4. Üben Sie erst einmal

Wenn Sie Ihr Wertpapierdepot eröffnet haben, machen Sie sich in aller Ruhe erst einmal mit allen Funktionen vertraut, bis Sie die Onlineoberfläche voll und ganz beherrschen. Die meisten Banken bieten von vorneherein ein Demokonto an, in dem Sie „Trockenübungen“ machen können und erst einmal einige Trades mit virtuellem Spielgeld machen können, bevor es richtig los geht und Sie die ersten echten Aktien mit echtem Geld kaufen. Machen Sie von dieser Möglichkeit reichlich Gebrauch. Es hilft Ihnen ungemein, wenn Sie erst einmal mit Spielgeld üben, sich mit der Onlineoberfläche vertraut machen und auch verschiedene Handelsstrategien erst einmal nur virtuell und ohne irgendein Verlustrisiko auszuprobieren.

12.5. Kaufen Sie Ihre erste Aktie

Wenn Sie sich eingehend mit allem vertraut gemacht haben und wenn Sie Ihre Trockenübungen mit virtuellem Geld mit ersten Erfolgen hinter sich gebracht haben, können Sie langsam daran denken, Ihre erste „richtige" Aktie zu kaufen. Sie haben diese Aktie hoffentlich sehr sorgfältig ausgesucht und wissen genau, warum Sie sich gerade diese Aktie ins Depot holen. Führen Sie jetzt Ihren ersten echten Kaufauftrag aus und erwerben Sie diese Aktie. Verwenden Sie dafür aber keinesfalls mehr als 20 Prozent Ihres Startkapitals. Denken Sie an den Grundsatz, niemals alle Eier in einen Korb zu legen und das Risiko immer so weit wie möglich zu streuen. Investieren Sie darum nur einen Teil Ihres Startkapitals und behalten Sie den Rest für künftige Investmentgelegenheiten, die sich bald ergeben werden.

12.6. Planen Sie den Ausstiegszeitpunkt

Planen Sie für jede Ihrer Aktien schon vorher das Ausstiegsszenario. Legen Sie schon vorher genau fest, unter welchen Bedingungen Sie die Aktie verkaufen und den Gewinn realisieren wollen. Wenn Sie genau wissen, welches Ziel Sie mit der Anlage erreichen wollen, werden Sie auch keine Probleme damit haben, den richtigen Ausstiegszeitpunkt festzulegen.

12.7. Realisieren Sie den Gewinn

Wenn der Ausstiegszeitpunkt erreicht ist, verkaufen Sie konsequent und realisieren Sie den Gewinn.

12.8. Warten Sie in Ruhe ab

Wenn Sie den Gewinn ausgezahlt bekommen haben, suchen Sie in aller Ruhe nach der nächsten Anlagechance und warten ab, welche Gelegenheiten sich Ihnen bieten.

12.9. Investieren Sie erneut

Irgendwann werden Sie eine oder mehrere neue Anlagemöglichkeiten finden, die Ihnen zusagen. Jetzt ist der Moment für einen neuen Einstieg in eine neue Aktie gekommen. Oder in einen Aktienfonds oder einen ETF, wenn Sie es eher etwas weniger risikofreudig angehen wollen?

Richten Sie sich nach diesem Ablauf, Sie sind auf der sicheren Seite. Am besten beginnen Sie mit einer einfachen, krisensicheren Aktie oder einem Aktienfonds. Starten Sie nicht mit einer exotischen Aktie, sondern eher mit einem Unternehmen wie Nestlé oder Procter & Gamble, um nur einmal zwei Beispiele zu nennen. Bei beiden Firmen sind klar, welche Geschäfte sie betreiben und es handelt sich bei beiden um ein krisensicheres Investment, da die Produkte immer nachgefragt werden, auch in Zeiten schlechter Konjunktur.

Lassen Sie sich nicht hetzen und gehen Sie das Projekt „Aktienhandel" in aller Ruhe an. Der Aufbau eines guten Portfolios kann durchaus einige Monate in Anspruch nehmen. Die Sorgfalt und die Geduld werden sich am Ende für Sie in überdurchschnittlich guten Ergebnissen auszahlen, wenn Sie alles richtig gemacht haben.

Wie Sie weiter vorgehen

Ihnen ist sicherlich klar, dass dieses kleine Buch nur einen allerersten Einstieg liefern kann. Wenn Sie in der Welt des Aktienhandels langfristig größere Erfolge erzielen wollen, führt kein Weg daran vorbei, dass Sie sich mit weiterführender Literatur beschäftigen. Lassen Sie die Informationen in diesem Buch erst einmal wirken und verinnerlichen Sie das Gelernte. Machen Sie außerdem einige erste Erfahrungen beim Kauf und Verkauf von Aktien. Anschließend besorgen Sie sich weitere Literatur und bauen Ihre Kenntnisse systematisch aus. Es gibt hervorragende Bücher, die vom Umfang und vom Fachwissen her weit über das hinausgehen, was wir Ihnen in dieser kleinen Einführung für den Anfänger breten können.

Empfehlenswerte Bücher zum Thema Börse sind beispielsweise:

- ***„Der intelligente Investor“*** (Benjamin Graham)
- *„Technische Analyse mit Candlesticks“* (Steve Nison)
- *„Das große Buch der Markttechnik: Auf der Suche nach der Qualität im Trading“* (Michael Voigt)
- **„Technische Analyse der Finanzmärkte“** (John J. Murphy)

13. Zehn gute Tipps vor dem Start

Im Folgenden möchten wir Ihnen noch einmal zehn gute Tipps ans Herz legen, die Sie sich einprägen und die Sie beherzigen sollten, bevor es wirklich los geht. Diese Tipps fassen noch einmal wichtige Kenntnisse aus diesem Buch zusammen und werden Ihnen bei Ihrem Start an der Börse hoffentlich eine große Hilfe sein.

13.1. Zögern Sie nicht und fangen Sie noch heute an

Die meisten Menschen haben Probleme damit, ins Handeln zu kommen und gewonnene Erkenntnisse auch in die Praxis umzusetzen. Wenn Sie zu dem Schluss gekommen sind, dass der Aktienhandel das Richtige für Sie ist, dann sollten Sie jetzt damit beginnen, das Ganze in die Hand zu nehmen und mit Ihren konkreten Planungen beginnen. Und diese Planungen sollten Sie dann auch konsequent umsetzen. Denn von selbst passiert gar nichts und wenn Sie wirklich Geld an der Börse verdienen wollen, dann müssen Sie jetzt damit beginnen.

13.2. Investieren Sie in Ihre finanzielle Bildung

Lesen Sie Bücher, absolvieren Sie Onlinekurse, schauen Sie sich Schulungsvideos an: Investieren Sie jeden Tag in Ihre finanzielle Bildung. Je größer Ihr Wissen über den Aktienmarkt ist, desto sicherer können Sie auf dem Börsenparkett agieren, desto höher sind Ihre Erfolgsaussichten und desto geringer ist die Wahrscheinlichkeit, dass Sie Verluste einfahren. Denken Sie immer daran, dass sich jeder Cent, den Sie in Ihre finanzielle Bildung investieren, später vielfach bezahlt machen wird. Erworbenes Wissen kann Ihnen niemand mehr nehmen und es steht Ihnen Ihr Leben lang zur Verfügung.

13.3. Erwarten Sie nicht das schnelle Geld

Mit einem soliden und qualitativ hochwertigen Investment werden Sie langfristig gute Gewinne erwirtschaften. Nur über Nacht reich werden können Sie damit nicht. Das wäre eine unrealistische Erwartung. Zwar gibt es in Gestalt von Optionen und CFDs Anlagevehikel, mit denen Sie in kurzer Zeit Ihr Kapital vervielfachen können, aber diese Anlageprodukte sind auch mit einem entsprechend hohen Risiko behaftet und es kann Ihnen genauso gut passieren, dass Sie stattdessen alles verlieren und am Ende womöglich Schulden haben. Also Finger weg von hochspekulativen und gefährlichen Investments. Konzentrieren Sie sich auf gute Fonds und Aktien und es wird sich für Sie auszahlen. An der Börse ist Geduld eine der wichtigsten Tugenden überhaupt.

13.4. Nur das Beste ist gut genug.

Suchen Sie Ihre Aktien genauso sorgfältig aus wie Ihren Ehepartner. Oder sogar noch sorgfältiger, falls Ihnen an der Wahl des Ehepartners im Laufe der Zeit schon erste Zweifel gekommen sein sollten. Nehmen Sie jede Aktie genauestens unter die Lupe, informieren Sie sich genau über das Unternehmen und kaufen Sie nur Aktien von Unternehmen, deren Geschäft Sie verstehen und Sie überzeugt. Achten Sie auch auf überzeugende Kennzahlen. Denken Sie daran: Nur das Beste vom Besten sollte für Ihr Investment gut genug sein. Schließlich ist es Ihr hart erarbeitetes Geld, mit dem Sie sich an einem Unternehmen beteiligen.

13.5. Lernen Sie, Verluste zu akzeptieren.

Verluste sind unangenehm, aber nicht vermeidbar. Selbst Investmentgenies wie Warren Buffett haben in Ihrer Laufbahn die eine oder andere Fehlinvestition getätigt. Versuchen Sie aus Ihren Verlusten zu lernen. Analysieren Sie die Ursachen und sorgen Sie dafür, dass Sie denselben Fehler kein zweites Mal machen. Akzeptieren Sie die Tatsache, dass Sie Fehler machen und nicht immer richtig liegen werden. Und dann lernen Sie aus Ihren Fehlern.

13.6. Legen Sie niemals alle Eier in einen Korb

Diversifikation ist ein entscheidender Faktor für Ihren Erfolg. Machen Sie nie den Fehler, alle Eier in einen Korb zu legen. Sie finden in diesem Buch umfassende Ratschläge zu dem Thema wie Sie Ihre Anlagen sinnvoll auf verschiedene Unternehmen verschiedener Branchen sowie auf verschiedene geografische Regionen verteilen, um sich so gut wie möglich abzusichern. Wenn Sie nur ein kleines Anlagevermögen zur Verfügung haben, können Sie auch eine Anlage in börsennotierten Indexfonds (ETF) in Betracht ziehen. Bei so einer Anlage ist die Streuung gewissermaßen schon eingebaut.

13.7. Erkennen Sie sich selbst

Hinterfragen Sie immer wieder Ihre Ziele, Ihre Motive und Ihre Handlungen an der Börse. Selbsterkenntnis ist ein wichtiges Ziel, wenn Sie erfolgreich an der Börse agieren wollen. Der größte Feind an der Börse sind immer die eigenen Emotionen. Die meisten Verluste werden gemacht, weil Menschen Ihre Entscheidungen nicht rational treffen, sondern von ihren Emotionen bestimmen lassen. Sich an der Börse von Gefühlen wie Angst oder Gier treiben zu lassen und dann entsprechende Entscheidungen aus dem Bauch heraus zu treffen, ist ein brandgefährlicher Weg, den Sie auf gar keinen Fall beschreiten sollten, weil die Verluste vorprogrammiert sind.

13.8. Kleinvieh macht auch Mist

Wenn Sie keine großen Summen als Einstiegskapital zur Verfügung haben, dann fangen Sie klein an. Unterschätzen Sie nicht die Macht kleiner Beträge. Zahlen Sie regelmäßig jeden Monat einen überschaubaren Betrag in einen ETF-Sparplan ein und nehmen Sie auf diese Weise Ihren Vermögensaufbau in Angriff.

13.9. Trauen Sie nur sich selbst

Niemand kennt heute schon die Börsenkurse von morgen. Auch die zahlreichen Börsendienste, Newsletter, Aktienzeitschriften und Webseiten wissen letztlich nicht viel mehr als Sie. Verlassen Sie sich niemals blindlings auf Anlageempfehlungen und Tipps aus diesen Quellen. Sie können nie sicher sein, ob die Tippgeber nicht doch noch andere Interessen verfolgen als nur das Wohlergehen ihrer Leser zu fördern. Stellen Sie immer eigene Recherchen an und wenn Sie irgendwelche Zweifel haben, dann hören Sie auf Ihren Verstand und lassen Sie die Finger davon. Gerade bei Aktien, die in Börsenzeitungen besonders hochgejubelt werden, ist oft eher Vorsicht geboten. Vielleicht erinnern Sie sich noch daran: Um die Jahrtausendwende wurde die Telekom-Aktie mit dem kürzlich verstorbenen Schauspieler Manfred Krug als Werbeträger hochgejubelt und der Bevölkerung als sichere Volksaktie angeboten. Zu diesem Zeitpunkt notierte die Telekom-Aktie bei über 100 Euro. Es folgte ein langanhaltender Kurssturz, bei dem diejenigen, die nicht rechtzeitig Ihre Aktien wieder verkauft haben, am Ende Verluste von nahezu 90 Prozent erlitten haben. Manfred Krug hat sein Engagement in dieser Werbekampagne später bitter bereut.

13.10. Denken Sie immer auch an die Dividende

Viele Anleger sind völlig auf Kurssteigerungen fixiert und verlieren die Dividende dabei völlig aus dem Blick. Dabei ist die Dividende neben der Kurssteigerung eine weitere, sehr wichtige Verdienstquelle, die auf lange Sicht sogar einen deutlich höheren Ertrag als die reine Kurssteigerung bietet. Vor allem werden Dividenden auch dann ausgezahlt, wenn sich ansonsten an den Märkten nicht viel tut und die Kurse sich eher seitwärts bewegen. Darum achten Sie beim Kauf einer Aktie immer darauf, ob und in welcher Höhe das Unternehmen in der Vergangenheit Dividenden ausgeschüttet hat. Es kann sogar eine Anlagestrategie sein, in erster Linie auf die Erträge aus Dividenden zu setzen und die Gewinne aus Kurssteigerungen eher nebenbei mitzunehmen. Es gibt Fonds, die sich mit ihrem Portfolio ausschließlich auf besonders dividendenstarke Unternehmen fokussiert haben, und die damit sehr gute Erträge erzielen.

20782162R00038

Printed in Poland
by Amazon Fulfillment
Poland Sp. z o.o., Wrocław